科学の歳事記

どんぐりから
宇宙へ

渡辺政隆 文
MASATAKA WATANABE
山本美希 絵
MIKI YAMAMOTO

教育評論社

装幀＝井川祥子

プロローグ

学校で学ぶ科学は「理科」と呼ばれています。理科は、生物、物理、化学、地学を合わせた理系の教科ですよね。科学と聞くと、「科学者」が法則とか原理を追求する難しい分野という気がします。学校の理科の授業は好きだったけど、科学は苦手という声を聞いたこともあります。

では、科学をひらがなで「かがく」と書いたらどうでしょう。ちょっとくだけた感じでしょうか。あるいは、カタカナで「サイエンス」という言い方はどうでしょう。少しだけ、おしゃれな感じがしてきます。美術を「アート」と言い換えるのと似ています。

同じ意味を持つ言葉のはずなのに、呼び方やものの見方でイメージが変わってしまうって、おもしろいですね。呼び方を違えても、科学のはじまりは、身の回りのことに関心を向け、なぜだろうと考えてみることです。

今、インターネットのおかげで、調べたいことがあればすぐに答えが見つかります。でも、答えが一つとはかぎりません。さらに詳しく調べてみないと、自分が捜していた答えがどれかわからないこともあるでしょう。インターネットまかせではなく、自分で考えてみることも大切なのです。

どんぐりから宇宙まで、暮らしの中で、ふと抱いた疑問について考え、科学的な視点からぼくなりの答えを見つけてみたのがこの本です。5年と4カ月にわたって、ほぼ月に1回、毎日新聞の日曜版に連載しました。なので、季節感も感じられると思います。そこで、書名を『科学の歳事記』としてみました。科学エッセイの先達、寺田寅彦の衣鉢を勝手に継いだ気持ちも少しあります。

それでは、どんぐりへのこだわりから始めます。

目 次

Anthro-
pocene

・本書は毎日新聞連載の科学コラム「団栗」（2015年4月〜2020年8月）に加筆・修正をしてまとめたものです。

科学の歳事記

どんぐりから宇宙へ

訳語がつくるイメージ

どんぐりといえばヤジロベエを作ったことを思い出す。もっとも、どんぐりが実る樹種は多種多様である。子供の頃は、もちろんそんなことまでは気にしていなかった。

英語でどんぐりはエイコーン。聖なる木オークの果実であり、そのイメージは、勇気、力、知恵を象徴する樹木崇拝と結びついている。しかしかつてオークがカシと訳されたことで、日本ではそのイメージに違和感がつきまとった。日本のカシは常緑樹、オークは落葉樹なのだ。ヨーロッパナラが代表的なオークの和名だが、葉の形だけを見ると、むしろカシワに近い。いずれにしろ、カシワやナラに神聖な樹木というイメージはない。気候風土と土壌が異なれば、文化も異なる。

言葉や概念の誤訳はしばしば文化の誤訳をも招く。哲学はフィロソフィーの訳語である。原義は「知を愛する学」。聞くところ、当初の訳語は希哲学だったとか。「道理を希(のぞ)む学」という意味。ところが「希」が落ちたところから哲学は小難しい学問というイメージが強くなった。昨今、なんとなく集まった人たちが、たとえば「自由とは？　愛とは?」といったテーマで気さくに語り合う哲学カフェが登場し、「希哲学」がよみがえりつつある。

一度染みついたイメージはなかなか払拭(ふっしょく)できない。「科学」はどうか。サイエンスの元となったラテン語の原義は「知る」。科学という語自体は江戸時代からあって、個別の専門分野からなる学問の総称だった。翻(ひるがえ)ってみるに、今の科学はどうだろう。すっかり細分化されている。今こそ、総合の学としての原義に立ち返りたいものだ。

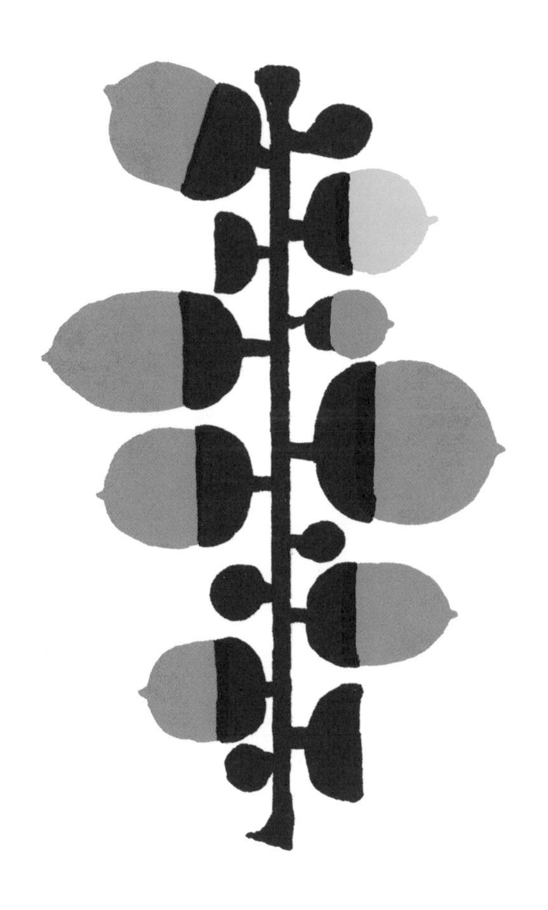

よみがえれ雷竜

その昔、地上を巨大なトカゲがのし歩いていた。巨大さゆえに、「恐ろしいトカゲ（恐竜）」と名付けられた。すべての恐竜は6,600万年前に絶滅した。しかし恐竜に関する新発見は今も続いている。最近の大発見は、雷竜の復権。

かつて（40年くらい前まで）ブロントサウルス（別名は雷竜）は恐竜図鑑の定番だった。しかも、陸上ではその体重を支えきれなかったはずだという恐竜学者の温情（?）により、半身浴状態で水に浸かった姿で。だが、恐竜学の進歩によって古いイメージは一掃された。ほんとうは、太くて長いしっぽを空中に跳ね上げ、長い首とバランスを取るように大地を闊歩（かっぽ）していたのだ。

ただし、正式名称はアパトサウルス（「偽り竜」という意味）に統一された。同じ種類に二つの名前がつけられたと断定されたことで、後からつけられたブロントサウルスという名前は取り消されたのだ。しかし2015年、各地の博物館に保存されている化石を調べ直した研究者が、アパトサウルス（体重40.3t）とは別にそれより小型のブロントサウルス（体重30.5t）も実在したと発表した。雷竜が「再発見」されたのだ。

発見者は、古い恐竜図鑑なんか知らないポルトガルの大学院生。ディプロドクス科というグループの系統樹を再構築する中で今回の発見にたどり着いた。ブロントサウルスが別系統であるとの確信が深まるたびにものすごく興奮したという。まさに温故知新（おんこちしん）、常識を疑えを地で行った研究だ。

パンダは進化の気まぐれ

50年前の冷戦時代、モスクワ動物園にはアンアン、ロンドン動物園にはチチという名のジャイアントパンダがいた。名前のイメージに反して、チチはメス、アンアンはオスである。2度のお見合いをしたのだが、繁殖には至らなかった。気難しいのは異性の好みだけではない。パンダの主食は竹やササで、偏食なのだ。

パンダはクマの仲間なのに、なぜそこまで特殊な植物食者になったのだろう。パンダの歯や消化器は、肉食動物的なままである。これでは繊維分の多い竹を食べるには不便なはず。ただし1点だけ、パンダが特殊化した部分がある。竹を握ることのできる手の構造を進化させているのだ。

パンダの手は、5本の指が一列に並んでいる。なので、手のひらを閉じても、指で竹を握ることはできない。ところが、親指と小指それぞれの外側に、長く伸びた骨の突起がある。こんなに長い突起があるのはジャイアントパンダだけ。手のひらを閉じるとこの二つの骨が、竹を下から支えて握るかたちになる。自然の粋な計らいだ。

そんな小手先の工夫までしての偏食の謎を解くべく、中国の科学者がパンダのウンチを調べた。それでわかったのは、何も特別なことはないという拍子抜けの事実。牛や馬などの腸には、植物繊維を分解する特殊な微生物がすんでいる。ところがパンダは仲間のクマと同じ腸内細菌しかもっていなかったのだ。ではなぜ、パンダは竹を食べるようになったのか。

答えは、そこには竹しかなかったから！　なのかな？

ニワトリの口

恐竜復活を描いて人気の『ジュラシック・パーク』シリーズの4作目にあたる最新作『ジュラシック・ワールド』も話題を呼んだ。第1作は、ジュラ紀の琥珀に封じ込められた蚊の体内に残る恐竜の血からDNAを取り出し、遺伝子操作によってワニの卵から恐竜を孵化させるという設定だった。医学研究者でもあった原作者マイクル・クライトンの秀逸な発想である。

しかし、なぜワニにしたのだろう。ワニは恐竜の直系ではない。直系の子孫は別にいるじゃないか。

今から6,600万年前、巨大隕石の衝突により、恐竜は死滅した。しかし、小型肉食恐竜から進化していた鳥の祖先は生き延び、子孫を増やして現在に至っている。そう、鳥を恐竜に変えるほうが話は早かったのだ。

では、鳥のどこを変えればよいのか。羽毛は一部の恐竜にもあった。翼は腕の変形である。そう見てゆくと大きな違いは2点。くちばしと長いしっぽだ。前者は鳥、後者は恐竜にしかない。鳥の中に眠っているしっぽを生やす遺伝子を目覚めさせ、くちばしを作る遺伝子を眠らせれば、鳥は恐竜になる?

今回、米国の研究者が実際にニワトリで、くちばしの代わりに鼻づらを形成させることに成功した。あくまでも鳥類進化の謎究明が目的なので、孵化まではさせていない。それはなによりだ。だって、裏庭を闊歩するのはヴェロキラプトルよりキジの方が平和でいいもんね。

うな重

夏の風物詩といえば？　花火、かき氷、夕立、風鈴、朝顔……。ウナギのかば焼きも捨てがたいが、これについてはその座が危うい。ニホンウナギは2013年に環境省によって絶滅危惧種に指定されているからだ。

川や湖にすむウナギは、やがて生まれ故郷の海に帰り、そこで産卵する。ニホンウナギの産卵場所が6月、7月のマリアナ海溝付近であることが確証されたのは2009年のことである。

稚魚はそこから黒潮に乗って回遊し、3,000海里（約5,500km）、5カ月あまりの旅の末に冬から春にかけて日本近海にやってくる。養殖ウナギは、河口付近にやって来たニホンウナギの稚魚であるシラスウナギを取って育てたものである。なぜそんなハードな旅をするのかは謎だ。広い海原の一点で、ウナギのオスとメスはどうやって落ち合うのかも。

養殖ウナギの人工産卵には成功している。しかし、孵化後約2カ月までの生存率はたったの1割だった。そこに朗報がもたらされた。東京大学の研究グループが、生存率2割に高めることに成功したとのこと。成功の秘訣は、海水の塩分濃度を半分にして育てたことだという。シラスウナギが乗る黒潮の塩分濃度はどうなのか、気になる。

ウナギの来し方行く末を思うと、あだやおろそかにうな重を食すことはできない。いやむしろ、食べることさえはばかられる。ウナギ食べたし資源は大事。食する場合でも、心から合掌して箸をつけることにしようか。

永遠平和のために

ドイツの哲学者イマヌエル・カントは、1795年に出版した『永遠平和のために』において、常備軍の廃止を唱えた。いわく、常備軍の存在は他国を常に戦争の脅威にさらしておくことになるため、平和の実現にはほど遠いというのだ。日本国憲法9条のルーツはここにあるという意見もあり、威勢のよい改憲論がかまびすしい中、同書が改めて注目されている。

カントは、自然科学にも通じていた。前掲書に先立つ40年前に、太陽系の起源を説明する星雲説を発表していた。太陽系は巨大な星雲から生じたという説だ。

宇宙の塵(ちり)が離合集散するうちに重力の法則によって安定した軌道上を巡る複数の惑星が生まれ、太陽系は誕生した。切磋琢磨(せっさたくま)するのではなく、それぞれ距離を置きつつ別個の軌道を回るという図式は、『永遠平和のために』でカントが提唱している永遠平和の図式にも通じている。

冷戦時代における米ソは、互いの疑心暗鬼から核武装を含む軍備拡張をエスカレートさせた。その結果、米ソ間での戦争は起きなかったものの、各地で代理戦争が展開され、今に至っている。軍備拡張が平和につながらないことは実証されたと言っていい。

カントの星雲説は、太陽系の起源を説明する有力な説として補強されている。カントの平和論もそうあってしかるべきなのではないのか。

よみがえる記憶

2015年、鬼怒川堤防決壊の映像を見ながら、東日本大震災時の津波の光景を思い出した。押し寄せる水の威力に、人間は無力だ。

こうしたことがあるたびに、「天災は忘れた頃にやって来る」という警句が思い浮かぶ。夏目漱石の薫陶(くんとう)を受けて多数の随筆を残した物理学者、寺田寅彦（1878～1935年）がよく口にしていた言葉だと伝えられる。寅彦が書き残した作品にこのとおりの言葉はないのだが、いくつかの防災がらみの随筆に、同じ趣旨の記述がある。

この警句は、「のど元過ぎれば熱さを忘れる」に通じるところもあり、人の心の真理を言い当てているからこそ、長きにわたって人口に膾炙(かいしゃ)されているのだろう。

寅彦は、結晶構造の解析から流体力学、地震学、火山学など多くの分野で独創的な研究をした。夏目漱石の『三四郎』に登場する東京帝国大学理科大学の野々宮さんは寅彦がモデルである。あるいは『吾輩は猫である』に登場する寒月君も。

科学のおもしろさをストレートに書くだけでなく、自然の風情や人情にからめて説く科学随筆は、日本が誇るべきサイエンスライティングの伝統である。

じつは、本コラムの新聞連載時のタイトル「団栗(どんぐり)」は寅彦へのオマージュである。東京小石川の植物園で、幼子に亡き妻の面影を見る同名の随筆は、科学こそ登場しないが、珠玉の作品だ。忘れたくない記憶もあれば、思い出すに切ない記憶もある。

楕円球の行方

まさかと思った南アフリカ戦試合終了間際でのラグビー史上に残る逆転勝利。久々に心が沸き立った。ラグビーワールドカップ2015、われらが日本代表ブレイブブロッサムズ対南アフリカ代表スプリングボクス戦の話だ。

スプリングボクスといえば映画『インビクタス／負けざる者たち』（2009年）を思い出す。ネルソン・マンデラ大統領が誕生し、主催国として初参加、初優勝したラグビーワールドカップ1995を題材にした映画である。マンデラ大統領を演じたのはモーガン・フリーマン、スプリングボクスを奇跡の優勝に導いた主将役はマット・デイモン、映画監督はクリント・イーストウッドだった。

マット・デイモンの出世作（脚本も担当）は『グッド・ウィル・ハンティング／旅立ち』（1997年）。そこでは、落ちこぼれのフリーターでありながら数学の天才という鬱屈した役どころを演じていた。隠れた才能をもちながら人生の目標が見つからない繊細な青年役を演じた俳優が、今やアクション映画のマッチョ役がはまる俳優になるとは。まるでラグビーボールの転がり方みたいだ。

ラグビーの魅力としては、統制のとれた肉弾戦はもちろんとして、どう転がるかわからない楕円球（だえんきゅう）が生み出す偶発性も大きい。その一方で、五郎丸のキックが描く弾道は、飛距離と正確なコントロールが決め手となる。地面を跳ねるときと空中に舞い上がるときの物理的フェーズの違い、ちょっと大げさだが、人生にたとえたくもなる。

4

胡蝶(こちょう)の夢

花から花へと飛び回る蝶になった夢を見ていた荘子は、夢から覚め、ふと思った。荘子である自分が現実なのか、蝶である自分が荘子になる夢を見ているのかと。2,300年ほど前の中国の思想家、荘子のおなじみの寓話(ぐうわ)である。

これほど詩的な錯覚ではないが、異国などに旅した寝床で夜中に目覚めると、時差のせいで、ここはどこ、私は誰と一瞬迷ったりする。われわれは、人生の半分近くをまどろみの中で過ごす。生きるために寝るのか、寝るために生きるのか？

目覚めているためには、オレキシンという脳内物質が必要である。テキサス大学の柳沢正史教授（現在は筑波大学）が1998年に発見したタンパク質（神経ペプチド）だ。昼間なのに突如抗しがたい睡魔に襲われるナルコレプシーという睡眠障害は、オレキシンの欠乏による。「いねむり先生」こと直木賞作家の色川武大（阿佐田哲也）の持病がこれだった。

現在、ナルコレプシーの根本的治療法はない。オレキシンを安全に補充する方法がないのだ。要は、オレキシンが接合する覚醒スイッチをオンにできればよいわけだ。だが、脳と血液のあいだには血液脳関門という「関所」があって、大きな分子をブロックしている。今回、その関門を通り抜けられるオレキシン代替物質の創出に、筑波大学のチームが成功した。治療法確立の日は近い。

いや待てよ、スイッチオンと呼ぶにふさわしいスイッチは、覚醒スイッチなのか、睡眠スイッチなのか？　眠れなくなりそうだ。

コロンブスの卵

2015年の11月、『ダーウィンの遺産』という書き下ろしを出版した。進化を科学にしたダーウィンの偉業はいかに受け継がれてきたかを語ったつもりである。そのダーウィン、晩年に書いた自伝で、進化は枝分かれにたとえられることを思いついた瞬間を振り返り「コロンブスの卵」並の発見と書いている。「こんなに重要な問題とその答えを見逃していたとは、われながらびっくりポンだ」というわけである。

しかし待てよ、「コロンブスの卵」とは、「いかに簡単なことでも最初に行うのは難しい」という意味だったのではないのか。どうやら海の向こうでは、「難問を予想外のちょっとしたコツで解決する」という意味らしい。

いずれにしろ、「コロンブスの卵」の比喩はアメリカでは通じないという。1989年にニューヨークタイムズ紙でこのことが指摘されている。立春に卵が立つという中国の故事を紹介した記事に対して一読者が、中国の故事のほうとは別に、アメリカでは知られていない「コロンブスの卵」という別の有名な故事がヨーロッパにはあると指摘したのだ。

中国の故事に関しては、それ以前に物理学者の中谷宇吉郎が「立春の卵」（1947年）という名随筆で論じている。そもそも卵は立たないという常識を疑うべきだとしたうえで、擬似科学的なこじつけを反証しているのだ。ちなみにダーウィンの真の偉大さは、「進化」の発見ではなく、その科学的な意味を裏付けたことだった。

新年の明星

新年を迎え、午前0時をまわったところで初詣に出かけた。東の天空に、木星を従えた上弦の月。遠くに除夜の鐘を聞きながら見上げる空は感慨ひとしおだった。

木星は太陽系最大の惑星である。地球よりも太陽から5倍以上遠い距離にあるが直径は地球の11倍以上であるため、肉眼で見えるほど輝いている。ガリレオは、1609年の年末に倍率30倍の望遠鏡を自作し、月や惑星を観測した。木星を観測し、4個の衛星を発見して地動説への確信を深めたのはその翌年のことだった。

惑星は太陽の光を受けて輝く。地球の外側を回っている木星は、太陽と同じ方向にあるとき以外は観測可能であり、太陽、月、金星に次いで明るいので、夜半の明星と呼ばれている。それに対して金星は、地球の内側を回っているため、明け方か夕方にしか見えないことから、明けの明星、宵の明星と呼ばれている。元旦早朝の散歩では明けの明星を眺めた。しかも近くに土星、ちょっと離れた位置に火星も輝くという豪華版で。

物理学者の寺田寅彦は、「好きなもの／イチゴ珈琲(コーヒー)／花美人／懐手(ふところで)して／宇宙見物」と歌った。その師の夏目漱石は、「別るるや／夢一筋の／天の川」という句を詠んだ。新年もひと月がたち、月の満ち欠けは一巡した。月日は百代(ひゃくだい)の過客(かかく)というが、人にとって時間は有限である。有意義に悠々と過ごしたいものだ。

ダーウィンデイ余話

2月12日は「国際ダーウィンデイ」である。1809年のこの日、イギリスの地方都市でチャールズ・ダーウィンが生を受けたのだ。その50年後に出版された『種の起源』は世界を変えた。その偉業を讃え、生物進化への理解を深めるため、世界中で関連イベントを実施し、共通のサイトに登録しようというのが「国際ダーウィンデイ」。2016年に初めて参加し、三夜連続のトークイベントを東京で開催した。

当時にあっては邪説だった進化理論を世に問うた頃のダーウィンの写真を見ると、ぎょろりと目を見開き、どんな逆風にも耐えてみせるぞと覚悟を決めているようにも見える。ところが彼は、出版後間もなく、水療法の保養地に引きこもってしまった。じつはそれ以前から体調不良に悩み、様々な民間療法にすがっていたのだ。

諸説ある原因のなかで、ぼく自身はストレス主因説に与(くみ)していた。しかし最近、意表を突く説を知った。乳製品を分解する酵素を欠く、「乳糖不耐症」だったのではというのだ。彼の妻は、良妻賢母の料理自慢だった。そのレシピが保存されており、出版までされている。それによると、夕食のデザートの75%はミルクかクリームが使用され、肉にはホワイトソースが添えられていた。夫の好物と滋養を考えてのことだったが、それが仇(あだ)になっていたとしたら、なんとも皮肉な話だ。粗食が供される転地療法から帰宅するたびに、体調不良を再発させていたのだから。

国の顔

外国を訪れた際、その国の第一印象の決め手となるのは空港だ。それも、飛行機を降りて歩くコンコースが。どの国の空港も、異国からの旅人を迎えるための工夫を凝らしている。たとえば、成田国際空港第２ターミナルの到着コンコース壁面には、蒔絵や漆といった日本的な職人技によるアート作品が設置されているといった具合に。

その点で、先日訪れたイスラエルの空の玄関口ベングリオン国際空港の出発コンコースで強い印象を受けた。到着客を迎える場ではないが、2016年3月6日からの１年間、およそ60枚の美しい写真パネルの展示が始まっていたのだ。科学技術面で世界に貢献したイスラエル人とその成果に関する展示である。つまりそれがイスラエルの顔ということになる。科学系のノーベル賞を受賞した８名、チューリング賞を受賞した３名のコンピューター科学者、フィールズ賞受賞の数学者１名のほか、アインシュタインの写真もあった。そうした有名どころとは別に、農学分野、医学分野の成果のほか、若い科学者の紹介もあった。科学技術にかけるイスラエルの意気込みかくのごとし。

折しも科学技術・学術政策研究所から、日本人ノーベル賞受賞発表後、子供を科学者にしたいと思う親の割合が減ったという調査結果が公表された。成果が出るまでたいへんそうだからだという。たいへんだからこそ、それを上回るやりがいの大きさがあることにも、目を向けてほしいのだけど。

ドッグイヤー

人の寿命を70年、犬は10年とすると、犬の1年は人の7年に相当する。7倍の速さで生きていることを踏まえ、技術革新の速いIT業界はドッグイヤーなる言葉を造語した。

2015年末、警視庁の警備犬レスター号が13歳で息を引き取った。2004年の中越地震で男の子を救出したヒーローである。人間にすれば享年90との記事を読み、いささかあわてた。わが家のわんこは16歳、ということは110歳相当？

いや待て、レスター号は大型犬種のジャーマンシェパード、うちのは中型犬のミックス。体重を勘案すると、まだ(?)80歳！　わんこの寿命には体重も関係し、小型犬ほど長生きするのだ。でもなぜ？

ゾウとネズミでは時間の流れ方が違うというベストセラー本があったはず。心拍数の速い小型種はその分エネルギー消費も大きいから寿命を早く消費する。だからゾウの寿命は60～70歳、ハツカネズミは数年程度なのだと説明していた。

しかしわんこでは大型犬種ほど寿命が短い。ある成長ホルモンを遮断すると線虫やショウジョウバエで寿命が延びたという研究報告がある。大型犬種は成長ホルモンで大型化したから、その分、寿命が縮まっているのか？

しかしそれだけでは説明できないことも多い。愛玩用である小型犬種は、子犬の特徴を多く残す方向で品種改良されている。おとなになってもキャンキャン吠(ほ)えるのもそのせい。おとなになりきれないことで寿命も長いのかな？

竹林の賢人

竹は地下茎を張り巡らせ、竹の子をにょきにょきと生やすことで勢力を拡大している。昔から有名なのが、竹のいっせい開花。開花周期には諸説あるが、ハーヴァード大学の研究者は、マダケは120年、ハチクは60年、ホテイチクは15年としている。

竹がいっせい開花するとその実を食べるネズミが大発生するとも言われているが、これは定かではない。だいいち、マダケは開花しても実がほとんどできないまま枯死してしまう。

竹のいっせい開花はどうして起こるのか。有力な説は、種子を食べる天敵を出し抜くためというもの。毎年、あるいは隔年くらいに開花して結実していたら、それをあてにする動物にすべて食べられかねない。だが数十年に1回なら、敵もすべてを食べ尽くすほどの準備はしようがないだろう。むろん、花など咲かせずとも、地下茎と竹の子で殖えていればよさそうなもの。しかしそれでは、遺伝的にまったく同じクローンが殖えるだけ。たまには受粉によって実をつけることで、遺伝的な多様性を増やすことに利点があるのだ。

ところで、マダケの開花周期120年を素因数分解すると、5×3×2×2×2、同じマダケ属のハチクの60年周期は5×3×2×2、ホテイチクは15年周期5×3となる。ということは、マダケの祖先は5年周期だったが、それを3倍、さらにその2倍ずつへと増やすことでマダケは進化した？　でも、実をつけるのはやめてしまった。どこか日本の高齢化と未婚率増と似ているような……。

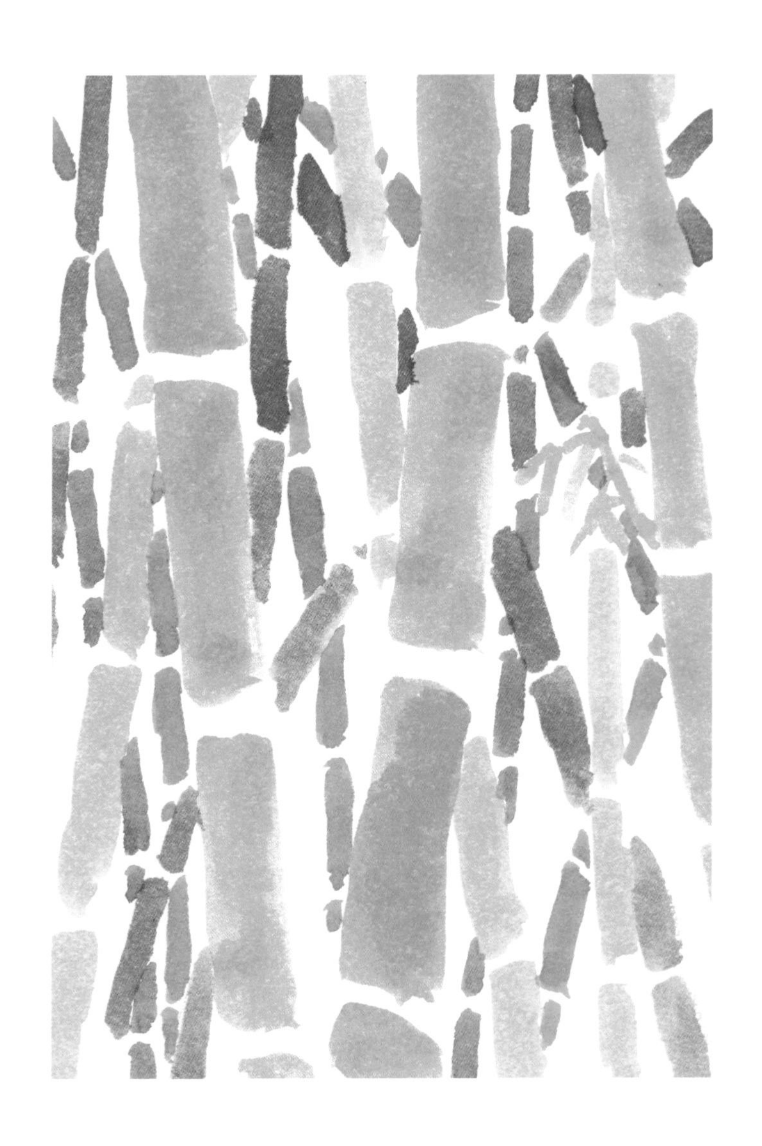

ごん狐

新美南吉の『ごん狐（ぎつね）』は悲しい物語だ。小ギツネのごんは、いたずらのつぐないに、兵十に栗（くり）を届け続ける。しかし、またいたずらに来たのだと誤解され、火縄銃で撃たれてしまう。昔話にもよく登場するほど、本州でもかつてキツネは身近な存在だったのだろう。ちなみにぼくの子供時代の記憶は、まさにこの物語の舞台、愛知県岩滑（やなべ）に住んでいた頃に始まるのだが、キツネの思い出はない（イタチはいたらしい）。

われわれの友であるイヌは、オオカミを家畜化したものだ。子犬の特徴を残している成犬を選んで繁殖させたことで、イヌはおとなになっても子犬的な振る舞いをする。ではなぜオオカミだったのだろう。愛玩用だけでなく、使役用としても役に立ったからなのかもしれない。キツネからシェパードやドーベルマン的な品種ができるとは思えない。いや、そもそも愛玩ギツネは可能なのか？

不可能だ、キツネはあまりなつかない、とずっと思われてきた。しかし、今や有名な話だが、ロシア（旧ソ連）の研究者が、愛玩ギツネの育種を試みていた。毛皮用のギンギツネを飼育し、おとなになっても子ギツネ的な特徴を残している個体を選んで繁殖させるということを、何代にもわたって続けたのだ。その結果は、顔が丸くなり、しっぽをくるりと丸めて人なつっこくなったギンギツネが作り出された。ごんも、兵十に見つかったとき、しっぽを振って挨拶（あいさつ）すれば、撃たれなかったかもしれないのに。

科学的って？

科学の方法をめぐる議論の一つに、「反証可能性」というキーワードがある。これは、反証できそうにない仮説や言明は科学的なものとは言えないという、一見逆説的な理屈である。たとえば、「幽霊は存在する」という主張を考えてみよう。この主張を否定するためには、幽霊が存在しないことを証明しなければならない。幽霊の存在を証明するには1匹（?）でもいいから幽霊を捕まえればよいのだが、存在しないことを証明するには??　かくして幽霊の存在もネッシーの存在も、未(いま)だ否定できずにいる。しかし幽霊は存在するという主張は、反証する方法が見当たらない以上、「科学的」とは言えない信念にすぎない。

ただ、科学の研究とは反証可能な仮説を積み上げてゆく作業にほかならないとしたら、ずいぶん頼りない印象を受けないだろうか。だって、絶対的な科学的事実などありえないと言うに等しいのだから。

それに比べると、ニセ科学の繁殖力はすごい。石川五右衛門ではないが、「世にニセ科学のタネは尽きまじ」と嘆息したくなるほどだ。多くのニセ科学は、科学的な証明の難しいグレーゾーンを悪用する。かつて19世紀イギリスでは心霊実験ブームがあった。その虚偽を暴こうとした高名な科学者は、インチキを証明できず、逆に心霊現象を信じてしまった。科学の絶対性を信じすぎたせいだ。幽霊よりも怖い逸話にも思える。幽霊話は、暑い夏に涼を求める程度にしておけばよかったものを。

セミの季節

いよいよ夏本番。朝からセミの声が響き渡っている。子供の頃はよくセミを捕った。ただし、捕る楽しみはあるものの、捕った後の面白みはない。東日本ではアブラゼミが多かったので、はねが透明な種類をたまに見つけると興奮したものだ。しかし、それらツクツクボウシやヒグラシは、そもそも数が少ないうえに捕獲の難易度も高かった。

カナカナと甲高い声で鳴くヒグラシの声は、夕暮れ時によく耳にする。そのせいで秋の訪れを連想させるためなのだろう、秋の季語とされている。しかし実際には、夏の前半に出現するセミである。秋のセミはむしろツクツクボウシ。この声を聞くと夏休みも終わり間近。あまり聞きたくない子供が多いことだろう。

かつて、セミは地中で7年間も過ごしたあげく、地上に出た成虫の寿命はたったの1週間といわれ、広くそう信じられてきた。しかし、たいていのセミの幼虫期間は1～6年で、しかも成虫の寿命は長いもので1カ月というのが正しいようだ。一度定着した伝説を覆すのは難しい。それは童話や寓話(ぐうわ)でも同じこと。

イソップ物語の「アリとキリギリス」の原典は、「アリとセミ」だった。ギリシャから、セミがいない北ヨーロッパに流布する間に、セミがバッタに替わり、日本ではそれがさらにキリギリスとなった。どれも鳴く虫ではあるが、シャカシャカと浮かれて夏を過ごすのはオスだけ。そういえば、アリもせっせと働いているのはオスではなくメスだけだっけ。

草むしりの科学

9月となり、週末は庭の草むしりに励んでいる。ただし昼日中はまだ暑いので、作業は早朝か夕方に限られる。ヤブ蚊が減ったので、季節としては絶好である。草むしりを楽しむコツは、義務とは思わないことだ。そうすれば、キノコ狩りや山菜採り、あるいはどんぐり拾いと同じで、時間を忘れてしまうほど、どんどんのめり込んでゆける。

勝手な想像だが、のめり込んでしまう要因には生理的な要素も関係していそうだ。つかんだ草がスポッと抜けた瞬間、脳内の快楽物質が活性化し、瞬間的な達成感、解放感を味わっているとしか思えないからだ。

しかし、たとえばスギナなどは、引き抜こうとすると根元からプッツンと切れてしまう。スギナは地下茎を張り巡らせており、地上部をいくら切り取られようが平気なのだ。みごとな生存戦略だと感心しつつ、とりあえずは地上部の敵を取り続ける。蒸し暑い朝など、スギナをつかんだ軍手が湿り気を帯びる。余分な水分の蒸発が間に合わず、水滴として排出しているのだ。ツンツンしている分、水分を蒸散させるべき葉の表面積が少ないことへの適応なのだろうか。生きものの知恵を実感できる瞬間。

除草剤をまけば一網打尽なのだろう。だが、モグラたたきに近い苦行ではあるものの、楽しい発見の喜びと妄想に浸れる草むしりは、ひとり没入できる愉悦なのである。おまけの筋肉痛は修行の一部としてがまんするとして。

ワープロの日

9月26日、たまたま中国に滞在していた。NHKの国際放送だったと思うが、今日は「ワープロの日」ですとの紹介があった。ええっ？そんな日があったのか。なんでも1978年のこの日、東芝が初めて日本語ワープロを発売したのだとか。当初の価格はなんと630万円！　その7年後には10万円弱の普及機が発売された。

物書きを始めた当初はもちろん手書きだった。そのストレスに音を上げ、コンピューターに詳しい友人に相談して購入したのが、NECのコンピューターPC-9800とワープロソフト一太郎の組み合わせだった。これで、文章の生産力は格段にスピードアップした。

日本語入力では、ぼくは一貫してローマ字入力派である。キーボードの表記もアルファベットのみ。昨年、シンポジウムで会ったインド人に、日本人はどうやって文章を入力しているのだと問われた。たしかに、ABC式のキーボードから日本語が打ち出される光景は摩訶不思議かも。そのときは、表音文字のカナをローマ字入力できるので簡単簡単と、自慢げに手の内を披露して見せた。

しかし、あれっ？　中国人はどうしているのだ。さくさくとABC式のキーボードを打ってるぞ。じつは中国語にもABC式の発音記号があって、それを打ち込んでいるとのこと。なるほどそうなんだ。日本語だけが特別なわけではないんだ。疑問を抱いたおかげで世界が広がった。

a
ki ha
yu u gu re

カボチャ日和

10月31日のハロウィーンは、年中行事としてすっかり定着したようだ。古代ケルト人の秋祭り、悪霊払いが起源といわれるが、そんないわれなどおかまいなしに、日本ではコスプレの日と化したかの感がある。

しかし、ふと疑問に思った。ハロウィーンの代名詞ともいうべき「ジャック・オー・ランタン」ことカボチャの細工物についてだ。カボチャの原産地は南北アメリカ大陸。ということは、少なくともコロンブス以前は、ヨーロッパにカボチャは入っていなかったはず。ということで調べてみたら、ケルト文化ではカブを使っていたらしいし、スコットランドでは今でもカブみたいだ。カボチャの使用は、アメリカに移住したアイルランド人が始めたことらしい。

カブのことはいざ知らず、カボチャの魔よけ効果については、いささかこじつけだが、科学的な後付けがなくもない。カボチャの皮から抽出したある種のタンパク質に、菌類の成長を抑える作用があるというのだ。特にカンジダ菌に効果があるという。さらには果肉に含まれる成分には、糖尿病を緩和する作用があるという。糖尿病マウスに食べさせた実験では、血糖値を下げるためのインスリン注射の量を減らすことができたというではないか。甘いカボチャを食べて血糖値の上昇を抑えるという逆説がおもしろい。

いや、でも、要は、お祭り騒ぎの口実がほしいだけなんだろうけど。

リスクと言われても

2016年11月22日早朝、福島県沖でマグニチュード7.4の地震が発生した。ぼくはそのとき、東北自動車道で福島県内を走行中だった。カーラジオから突然流れた地震警報を受け、徐行した瞬間に横揺れを体験した。その後ラジオからは、津波警戒情報が流れ続けていた。

東日本大震災以後、リスクをどう伝えるか、リスクをどのように共有するかを課題とするリスクコミュニケーションの重要性が強調されるようになった。ただしこれは、なかなか難しいことだ。最大の難関は、リスクという言葉の意味にある。これを適切に日本語に移し替えた言葉が見当たらない。マイナス面だけを考慮した「危険」では、すべての意味を尽くさない。リスクとは、その事象が起こった場合の危険度と、それが起こる確率をかけ合わせた概念だからだ。「確率」と言われてもねえ。天気予報の確率もよくわからないのに。

リスクは安心・安全の反対語なのだろうか。じつはそうとも言えない。安心・安全の一般的な定義は、「許容できないリスクがないこと」なのだ。たとえば、巨大な隕石(いんせき)が地球に衝突すれば大惨事は免れられない。だがそんなことが起こる可能性(確率)は何千万年に1回程度だろう。なので、そんな心配は杞憂(きゆう)に終わる。

ただ、緊急時には最悪の事態を想定すべきだ。津波の可能性があるなら、リスクを考える前に、とにかくテンデンコ(てんでばらばら)に逃げるしかない。

酉年縁起

自分の干支（えと）が回ってくると、今年こそがんばるぞなどと思うから不思議だ。しかし、自分の番が回ってくる12年に1度の奮起では情けない。そこで毎年少なくとも1回、神社の初詣で自分に活を入れることになる。

ちなみに神社の鳥居の由来には諸説あるようだが、一説ではニワトリに由縁があるという。天の岩屋戸にこもった天照大御神（あまてらすおおみかみ）を呼び出すために鳴かせたニワトリをとまらせた横木が始まりだというのだ。だとしたら、酉年（とりどし）の初詣は、なおいっそう感慨深いものとなる。

そのニワトリの由来は、現在も東南アジアに生息するセキショクヤケイだとされている。では、そもそも鳥の起源は？　その答えは恐竜にある。

2016年12月、ミャンマーから出土した琥珀（こはく）から、今から9,900万年前、白亜紀中期に生息していた恐竜の尾の一部が見つかった。樹液が石化した琥珀に封じ込められていたそのしっぽには、羽毛が生えていた。ただしそれはヒヨコに生えている綿毛（わたげ）に似ており、空を飛べたとは考えにくい。鳥の祖先といえば始祖鳥が有名だ。1億5,000万年前に生息していた始祖鳥は、ある程度は空を飛べたとされている。現在の鳥は、始祖鳥の直系ではない。しかし羽毛をもつ恐竜の子孫であることは間違いない。

初詣を終え、伊達巻（だて）をつつきながらしみじみ思った。そうか、鳥は姿を変えた恐竜なのだと。

くちばしをはさむ

今回も酉年（とりどし）がらみの話。くちばしをはさむとは、ふつうは迷惑な行為を指す。特に、素人が専門家の仕事にくちばしをはさむなど論外である、ということになっている。しかし、猫の手も借りたいこともある。

科学誌『ネイチャー』に、1,000人以上の市民の協力があって初めて実現した研究の中間報告が発表された。しかもその研究対象は、よりによって鳥のくちばし。およそ1万種に及ぶ鳥のくちばしの多様性を調べるために、イギリスの研究者は2,000種の鳥のくちばしを3Dスキャンした。そこからくちばしの形状を数値化し、分析することにしたのだ。その際、くちばしの3Dスキャン画像の測定ポイントを自宅のコンピューターでマークする作業への市民参加を呼びかけた。名づけて「マーク・マイ・バード」プロジェクト。このような市民参加のプロジェクトを「市民サイエンス」という。現在も、1万種あまりの鳥のくちばしすべての数値化を完成させる作業が続いている。

日本でも、気象庁気象研究所が、降雪予報の精度向上のために、雪の結晶のスマホ写真提供を呼びかけたのも市民サイエンス。結晶の形を見れば上空の気象条件がわかるのだ。その方法を80年ほど前に開発した中谷宇吉郎いわく、「雪は天から送られた手紙である」。そもそも中谷の研究は、雪の結晶が自由に出来たら「ずいぶん楽しいことであろう」という遊び心から始まった。そのおかげで、市民の遊び心も科学に貢献できることになったのだから、何が幸いするかわからない。

ラ・ラ・ラ

第89回アカデミー賞で14ノミネートされた映画『ラ・ラ・ランド』。結果は6部門受賞だったが、授賞式最後で作品賞を取り損なう（しかも取り違えられる）という逸話を残したことのほうで記憶されるかもしれない。映画の内容そのものは、過去の名作へのオマージュも含めていかにもハリウッド的。その中で印象的だったのが天文台のシーンだった。

撮影場所は、ロサンゼルス市街を見下ろす丘の上に実在するグリフィス天文台。主人公2人がジェームズ・ディーンの『理由なき反抗』を観た——いや、正確には見損なった——足で向かった先がそこである。これには伏線があり、『理由なき反抗』にも登場する場所なのだ（関係ないが、『ターミネーター』の冒頭にも登場する）。

『ラ・ラ・ランド』中のシーンでは、プラネタリウムのドーム内で空中を浮遊するダンスシーンがロマンチックだ。実際にはスタジオ撮影なのだろうが、プラネタリウムファンのみにとどまらず、これも語りぐさとなるだろう。

アメリカ全土には、大型プラネタリウム装置を設置した施設が800ほどあるという。日本も350施設ほどで少ないわけではないのだが、うらやましいのは、アメリカでは篤志家の寄付が多いことだ。グリフィス天文台も、銀鉱開発で財をなしたセレブ、グリフィスの遺志によるものである。幸運は自分でつかむもの。しかし、成功したら社会に恩返し。たとえ売名でも、みんなが喜ぶことをする。古き良きアメリカの伝統だ。

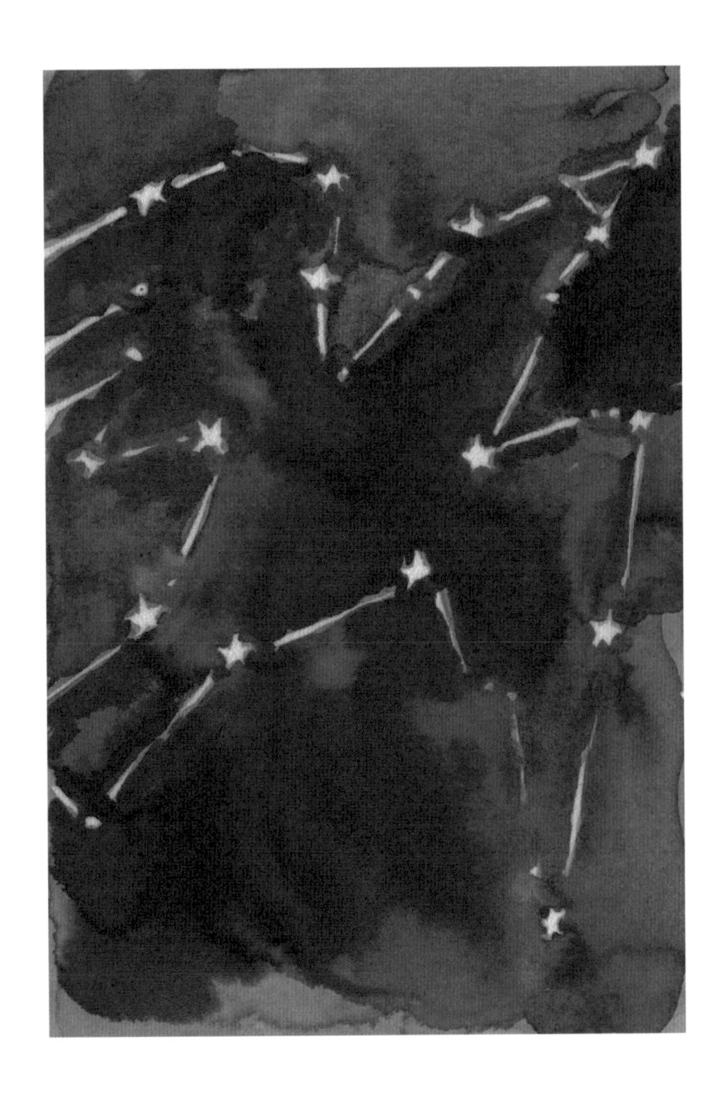

奇妙な晩餐

　1851年にロンドンで開催された第1回万国博覧会は、いろいろな意味で人々の度肝を抜いた。当時の最先端技術や、異国の伝統工芸品などが一堂に会したのだ。そしてなによりも会場となった建物。鉄骨とガラスで造られた巨大な建物は、いつしか「水晶宮」と呼ばれるようになった。

　その水晶宮において、53年大みそかの宵に奇矯な宴（うたげ）が開かれた。イギリスで発見された大型恐竜イグアノドンを復元した彫刻家が、21名のセレブを晩餐（ばんさん）会に招いたのだ。科学界のセレブ11名は恐竜の内部、残り10名はその周りに設（しつら）えたテーブルに着席した。陰の仕掛け人は、イグアノドンの復元を指揮した科学界の大立者リチャード・オーエン。英語で恐竜を意味するダイナソアという言葉を提唱し、イギリス初の翼竜化石にも名前を付けた人物だ。8品からなるコースを記したメニューは、翼を広げた翼竜をかたどったものだった。

　そのおよそ30年後、オーエンはロンドンに自然史学の殿堂をオープンさせた。テラコッタ張りの壮大な建物の随所に、翼竜やグリフォンなどといった奇怪な彫像が配された。今の大英自然史博物館である。自らの奇想を追うのみならず、オーエンは展示と研究を展開するための理想的な博物館の実現を目指した。

　自然史博物館の使命は、滅び去った遺物の収蔵だけではない。現在の生物多様性を調べて保存の手立てを講ずることにも貢献する。温故知新（おんこちしん）とはまさにこういうことかも。

DINOSAUR
RESTAURANT
MENU
イグアノ
ドン
コース

ひょうたんから猫

愉快な動物ニュースのすごい写真に出くわした。蚊よけに効くハーブを植えたところ、近所のネコがわんさか集まってきてゴロニャン状態に陥った光景だ。マタタビのあれに似た陶酔状態を呈したのだ。ハーブの名はそのものズバリのキャットミント（あるいはキャットニップ）。昔から、ネコを異様に興奮させるハーブとして有名なのだとか。西洋マタタビとも呼ばれるが、正式和名はなぜかイヌハッカ。

このイヌハッカはなぜ、ネコを誘引するのか。アメリカ化学会が制作したPRビデオシリーズにその説明があった。

ネコが反応しているのはネペタラクトンという物質。1941年に抽出された。ネペタというのはイヌハッカの学名で、たくさん自生していたイタリアの古都にちなんでいる。じつはこの物質、イヌハッカにたかるアブラムシの性フェロモンでもある。

アブラムシを誘ってる？　いえいえ、たいていのアブラムシのメスがオスを誘うのは秋口だけで、夏はメスが交尾なしでクローンの子どもをどんどん産む。これでは植物もたまらない。そこでイヌハッカが発するSOSがこの「性フェロモン」。天敵の肉食昆虫にアブラムシの存在を知らせているのだ。ネコを引きつけ、蚊を追い払うのは副産物的効果にすぎない。しかしそのおかげで、あちこちで栽培されるようになって種族繁栄。ひょうたんから駒とはこのことか。生物の進化ではこういうことが多々見受けられ、進化のブリコラージュとか外適応と呼ばれている。

使える知識

　カーナビは便利だ。かつてカーナビがなかった時代、タクシー運転手の道路知識は神業にも思えたものだ。しかし昨今、道に不案内なにわかタクシー運転手が増えてきた。不況によるにわか運転手の増加とカーナビ普及の悪しき相乗効果なのだろうか。

　その点、「ブラックキャブ」の愛称をもつロンドンタクシーの運転手はすごいらしい。ロンドンからの距離を測る基準点とされているチャリングクロスの交差点（東京ならば日本橋か）から半径6マイル（9.6㎞）以内にある6万あまりの通りと主要な場所すべての情報と、そこへの最短ルートを問う試験に合格しなければ営業できないからだ。

　この試験は、「ナレッジ・オブ・ロンドン」と呼ばれている。ナレッジ（knowledge）は「知識」という意味がすぐに思い浮かぶほどの基本単語である。ただしそこがくせ者。英英辞典を引くと、「個人が理解していること」とある。単に「知っている」だけでなく、理解し使える情報でなければナレッジとは呼べないのだ。なればこそ、この超難関タクシー免許試験の名に冠されているのだろう。ブラックキャブにカーナビは装着不要。

　それはそれとして、カーナビに仕込まれているGPS（全地球測位システム）にはアインシュタインの相対性理論が活用されていることは有名。でもその原理、説明できますか？　そのことは「知っている」人でも、きちんと説明できるだけの「知識」がある人は少ないよね。

マラケシュ便り

東京スカイツリーのてっぺんは地上634m。先端部分は2mの避雷針。その避雷針の先端2.8㎝がこれまでのわれわれの持ち分だった。それがこのたび、持ち分が4.1㎝に増えた。つまり、プラス1.3㎝。

えっ？　何のことだかわからない？　これは失礼しました。実はこれ、地球における人類の歴史をスカイツリーの高さになぞらえた場合のたとえ話。

地球の年齢はおよそ46億歳。われわれ人類（ホモ・サピエンス）は20万年ほど前に東アフリカで誕生したというのが、これまでの通説だった。東アフリカの大地溝帯にあるトゥルカナ湖北岸、エチオピア領のオモ・キビシュで見つかった19万5,000年前のものが最古の化石とされていたからだ。端数を丸めてざっと20万年前。

それがこのたび、北西アフリカのモロッコ・マラケシュの西100㎞にある場所から、それよりも古い人類化石が見つかった。一緒に出土した石器の製造年代測定値は28万～35万年前。中をとって切りのよいところで30万年前。

おおよそ30万年前、既にマラケシュをさまよっていたホモ・サピエンスがいたというわけだ。それで冒頭のたとえ。人類の年齢が1.3㎝（10万年分）延びたというわけ。さて、この増分をどう評価すべきか。多いのか少ないのか。とりあえずぼくは、スカイツリーになぞらえた講演用スライドを修正しないと。

Homo
Sapiens

不安で眠れない

心配事があって眠れない。怖い思いをした後は眠りが浅くなる。だれしも身に覚えのある体験だろう。眠りはすべての動物にとって必要不可欠な生理現象である。動物の眠りをむりやり妨害すると、やがて衰弱して死んでしまう。それほど重大な生理現象が、ちょっとした不安によって妨げられる。いったいどういうことなのだろう。

筑波大学の睡眠研究者、櫻井武教授の研究グループがその謎の一端を解明した。脳の中には、恐怖や不安に関係した情緒反応（情動）を引き起こしたり抑制したりする領域がある。そこから脳の別の領域に延びている神経細胞を短時間刺激したところ、夢も見ずにぐっすりと眠っていた（ノンレム睡眠状態の）マウスが目を覚ましたという。さらに、その神経細胞を刺激し続けたところ、夢見状態の睡眠も妨げられた。

さてそれで、この研究結果をどう解釈すべきなのか。ここからは推測である。

眠っている状態は無防備である。したがって、身に危険が及ぶ懸念が少しでもあるなら、しょっちゅう目を覚まして警戒態勢を敷くに越したことはない。これは野生動物の生存にとって適応的な反応だった。ところが、強い自我を進化させた人間は、実体のない不安を膨らませ、ああでもないこうでもないと悩む能力を獲得した。それが問題の神経細胞を刺激し続け、不眠症を招くのかも。だとしたら、もともとは適応的だったはずの反応なのに、なんとも因果な話だ。

一線を越えさせてはいけない！

政界、芸能界のスキャンダル報道にまじって、ひところ日々更新されていたのがヒアリをめぐるニュース。日本は今も、ヒアリの侵略に脅えている。

ヒアリのすごさは、毒だけではない。その脅威はむしろ、驚きのチームワークにこそある。棒で巣を突つこうものなら、すさまじい勢いで群れが駆け上がってくるのだ。

そんなヒアリの弱点は水である。水に沈んでしまうのだ。雨が降り出すと、巣からたくさんのヒアリが飛び出して退避行動をとることもあるそうだ。そして水があふれるとタッグを組み、ボール状のいかだをつくるという。それならば水に浮く。このいかだを液体窒素で固定してCT（コンピューター断層撮影法）と電子顕微鏡で調べた研究者が驚きの発見をした。

１匹のアリが、平均14匹とつながっていたのだ。脚と脚をつなぐことで6匹と、体と体では8匹と接触していたという。大きい個体は20匹とつながり、小さい個体でも8匹とつながっていた。全体で99％の脚が他の個体の脚とつながっていたという。

不思議なことに、連結するにあたってアゴはほとんど使っていなかった。しかも各個体は、互いに直角方向につながっていたという。さらには、大きな個体の隙間（すきま）を小さな個体が埋めるような配置で。まさに、指揮者もいないのに一糸乱れぬマスゲームを演じる強襲集団なのである。

さて、そんなヒアリの怒濤（どとう）の進撃をどう食い止めるべきなのか。一線を越える前に死守すべし。

夏の思い出

子供のころ、草っぱらでオジギソウを見つけると、必ずさわって眠らせて遊んでいたものだ。特に珍しい草ではなかった。なので、帰化植物と知って驚いた。江戸時代にオランダ船からタネがこぼれたのが最初だと聞いたときはなおさら。

オジギソウのように植物だって動く。成長だって運動なのだから不思議ではない。つる植物はぐるぐる回る。

動くだけじゃない。食虫植物にいたっては肉食だ。夏の思い出、尾瀬で出合ったモウセンゴケは、虫をネバネバの粘液でからめとる。東南アジアのウツボカズラは、袋状のトラップ（わな）で虫を捕らえ、消化液で溶かして吸収する。その消化液は、もともとはカビの感染を防ぐための分解酵素だったというからこれも驚きだ。

それ以上の驚きは、北アメリカ東部原産のハエトリグサは数も数えられること。捕虫用トラップはトゲトゲのがま口のような葉。このトラップ、1回の刺激では反応しない。トラップ内の繊毛センサーが、およそ20秒以内に2回刺激されたときだけ閉じるようになっている。しかも、それだけでは消化液は分泌されず、3回目の刺激があって初めて、消化液が分泌される。

食虫性は貧栄養の環境への適応である。なので、エネルギーの無駄遣いは許されない。その証拠に、センサーが刺激された回数に応じて消化酵素の量まで調整しているという。これって、自由研究の格好の題材かも。えっ？　だったらもっと早く言ってよ？　そういえばもう9月だものね。失礼しました。

地球の恵み

秋風が吹くと温泉がますます恋しくなる。温泉の数では世界一と、日本は温泉大国だが、それは温泉に対する他国との「温度差」のせいという可能性は否定できない。なにしろ野生のサルまで温泉につかるお国柄である。

海外では「スノーモンキー」として知られるそのサルたちの「湯治場」は、長野県は志賀高原近くの地獄谷にある。なぜ「谷」なのか、これは故なきことではない。

温泉とは、早い話、地熱で温められた地下水である。地下から湧き上がる熱水の圧力は高いものの、地表近くに居座っている冷たい地下水の圧力との力関係で、温泉が湧き出しやすいのは、自然と谷あい、渓谷沿いということになるからだ。したがって、「○○の隠し湯」と呼ばれる湯元が山間部の谷あいにありがちなのは、地球物理学上の道理ということになる。

無粋な話をすると、いかなるものを温泉と呼ぶかは温泉法という法律で決められている。それによれば、温泉源で25℃以上、ないし定められた物質を規定量以上含む、「地中から湧出（ゆうしゅつ）する温水、鉱水及び水蒸気その他のガス」を温泉という。つまり、水蒸気やガス（ただし、いわゆる天然ガスは除く）も温泉だったりするのだ。

そういえば、温泉の恩恵に浴してきたのはヒトとサルだけではなかった。シカなどが傷を癒やしていたことで見つかったと言い伝えられる「鹿の湯」がたくさんあるではないか。

トガリネズミであるとは

コウモリであるとはどのようなことか？　これはかつて、ある哲学者が発した有名な問いである。超音波でナビをするコウモリは、われわれとは全く異なる感覚世界に生きている。なので、科学的な観察をいくら積み重ねたところで、コウモリの気持ちは理解しようがない。

ならば人と同じ陸上の哺乳類についてはどうか。心が通じていると信じたいネコやイヌの本当の気持ちすら計り知れない。ましてや、最小の哺乳類で、ミミズや虫を主食とするトガリネズミの気持ちに至っては、何をかいわんやだろう。

だいいちトガリネズミは、頭の大きさを小さくすることで寒い冬を乗り切るというのだ。体長6～8cmで体重は5～12gくらいしかないヨーロッパトガリネズミは、体重の割にたくさんのエネルギーを必要とする。おまけに冬眠しないので、食物が少ない冬はそのままではエネルギー不足に陥りかねない。そこで、冬を迎えるにあたって体重を夏場から18%ほど落とし、春になると復活させることで冬場の消費エネルギーを節約しているらしい。頭骨のサイズは最大20%も縮小し、脳の容量に至っては最高30%も縮む。

はてさて、冬季のトガリネズミは、ただでさえ小さいのに、さらに小さくした脳で何を考えているのだろう。まあ、冬に考えなくてよいことは考えずにすませようということなのかも。それは一種の悟りの境地なのか？　いやいや、やはり、他種の気持ちは計り知れない。

ギフテッド

特別な天賦の才に恵まれた子のことを、ギフテッド（gifted）という呼び方をする。すべてに満点の子ではなく、どちらかといえば偏った子が多い。その才能がみごと開花した歴史上の人物としては、たとえばレオナルド・ダ・ヴィンチやモーツァルト、アインシュタインなど。みんな、天才の名にふさわしいものの、社会には適応しきれなかった面々だ。

ハリウッド映画『ギフテッド』（2017年）は、周囲の大人の思惑で数学の天才児が翻弄（ほんろう）されるストーリーだ。『グッド・ウィル・ハンティング』や『プルーフ・オブ・マイ・ライフ』など、ほかにも似たテーマの映画は多い。1960年代初頭の米航空宇宙局（NASA）を舞台にした話題作『ドリーム』（2016年）もそれに近い。

ギフテッドの子にメンター（指導者）をあてがい、才能を伸ばすハンガリーの事業を視察したことがある。家庭環境や学習環境によっては才能が埋もれてしまい、社会の損失になりかねないことを危惧して始まったようだ。特に絵画や音楽の才能の面で成果を上げている。

とんがった子をどう育て、どう活かすかは社会にとっても重要な問題だ。その一方で、平均的な子の伸ばし方やとんがらせ方も考えてゆく必要がある。

世界72カ国・地域の15歳を対象に3年ごとに実施される学習到達度調査（PISA）では、日本の子は、成績は良いが、科学の学習態度に関する調査項目の数値では世界平均を下回るという結果が常態化している。なんとなく惰性で勉強しているだけの子が多いのでなければよいが、余計なお世話かな。

とんだ贈り物

2018年の新年早々、害虫の話で恐縮だが、マダニによる感染症が世間を騒がせている。その一方で、恐竜、それも羽毛の生えた恐竜の血を吸っていたダニの化石発見というニュースが年の瀬近くにあった。ミャンマー産の9,900万年前の琥珀に、恐竜の羽毛といっしょにダニが封印されていたというのだ。

琥珀に封印された恐竜の羽毛はこれまでも見つかっていた。羽毛恐竜がいて、そこから鳥が進化したというのは今や定説である。今回の発見ですごいのは、恐竜がダニに血を吸われていたという動かぬ証拠が初めて見つかった点なのだ。別の琥珀からは腹がパンパンになった新種のダニも見つかり、ドラキュラにあやかった学名がつけられた。

鳥類の多くには、種類ごとに専属の吸血鬼がいる。飛び回る鳥に依存しながら子孫を残すには、それぞれの種類に特化して進化する必要があったのだ。有名な始祖鳥が出現したのは1億5,000万年前。始祖鳥もさぞや羽づくろいに余念がなかったにちがいないと想像がふくらむ。

1998年には、ブラジル産の1億2,000万年前の原始鳥類の羽毛化石からダニの卵らしきものが発見されている。上野の国立科学博物館が化石商からたまたま買い取った化石を調べたイギリス人研究者が発見したのだ。鳥たちは恐竜から進化したときから、羽毛といっしょに迷惑な贈り物までもらっていたようだ。

誕生日のパラドックス

毎年2月12日は「ダーウィンデイ」。進化論の祖ダーウィンが1809年のこの日にイギリスで生を受けた記念日である。ぼくは毎年、東京、下北沢のダーウィンルームで三夜連続のトークイベントを開催している。

じつは、同年同日、大西洋の反対側でも、同じく後に歴史を変えた人物が生まれていた。アメリカ16代大統領リンカーンである。ダーウィンは、ビーグル号での航海時にブラジルで黒人奴隷の虐待を目にしたこともあり、奴隷制に異を唱えていた。リンカーンと誕生日まで同じとなれば、運命の糸で結ばれたソウルメイトと思いたくなる。

特定の2人の誕生日が同じである確率は、相手の誕生日がその日以外である確率を1から引いた値、すなわち(1－364／365)×100＝0.27%であり、まれなことだ。しかし、誕生日がたまたま同じ人がいる確率は決して小さくはない。たとえば40人学級に誕生日が同じ生徒が2人いる確率は89.1%にもなる。それじゃあ偶然の一致とは呼べないじゃないかと、誰もが驚く数字だ。なのでこの問題は、「誕生日のパラドックス」と呼ばれている。

要は、特定の2人の場合と、不特定の2人の場合とでは話が違うということなのである。人は、同じ誕生日であることに特別な意味を読み取りたがる。だが、ありえないほどの偶然の一致じゃなければありがたがらない。その点、ダーウィンとリンカーンが特別な2人であることに異論はないだろう。

キーウィが翔んだ日

ニュージーランドの国鳥キーウィ。ずんぐりした鳥で、空は飛べず、森の地面をうろついている。じつはこの鳥、ダチョウと同じ走鳥類というグループ。ダチョウは猛獣から走って逃げる必要があったが、天敵のいないニュージーランドでは、大きさや走りの速さで身を守る必要がなかったようだ。

かつてニュージーランドには、背の高さが3m近い走鳥類モアもいた。こちらはライバルがいない分、のびのびと大きくなった。オーストラリアにはエミューとヒクイドリという走鳥類がいる。今から6,000万年ほど前、ニュージーランドがオーストラリアから分かれたときに、船出したニュージーランドにエミューの仲間が乗り込み、そこでキーウィとモアに進化したと、かつては考えられていた。

ところが遺伝子で比較したところ、キーウィは、モアよりも、マダガスカルにいた巨大な絶滅鳥エピオルニスにずっと近縁だった。キーウィとエピオルニスが共通の祖先から進化した推定年代は5,000万年前。その当時はまだ、空を飛べる走鳥類の祖先がいて、それぞれの島に渡ってエピオルニスとキーウィに進化した、というのが現在のシナリオ。

モアは、かの島に上陸した最初の哺乳類であるヒトによってあえなく絶滅した。キーウィは乗り切ったが、今はヒトが持ち込んだノネコの脅威にさらされている。もしかしたら、また空を飛びたいと思っているかも。

TASMAN
SEA

犬のミカタ

誰にも、お気に入りの名言がある。名言たる条件は、言い得て妙であること。たとえば哲学者ホワイトヘッドによる、「すべての西洋哲学はプラトンへの脚注と言ってよい」は、まさに至言だ。しかもこれは応用がきく。たとえば、「すべての生物学はダーウィンへの脚注と言ってよい」というふうに。

チャーチルとかマルクスといった有名人の言だと、なおいっそう箔がつく。チャーチルの「終わりの始まり」とか、マルクスの「歴史は繰り返す、一度目は悲劇として、二度目は喜劇として」など。

ぼくのお気に入りは、「犬以外 (outside of a dog) では読書が最高の友である。犬の胃内(inside of a dog)では暗くて読めない」というもの。作者はマルクス。いや、かのマルクスではなく、希代の喜劇役者グルーチョ・マルクスの作とされる。けだし迷言でしょ。

ただし、1カ月ほど前、わが家に生後13カ月のゴールデン・レトリーバーが到来し、犬のミカタを若干修正中ではある。ちょっと油断したすきに、見つけた本をかみ砕いてしまったのだ。それもこともあろうに、飼い主たるぼくが書いた、ダーウィンへの脚注たる『ダーウィンの遺産』という本を。消化できたのかどうかは謎である。まあ、飼い主としては、本選びのセンスはいいねとしか言いようがない。この仮説の検証として、買い求めたばかりの『科学のミカタ』という本をわんこに差し出してみようかしら。

蜜の味

花は、受粉を確実にするために、甘い蜜を虫たちに提供する。ミツバチの働きバチは、巣（コロニー）の幼虫を養うために花の蜜と花粉を集め、ついでに受粉に貢献する。

マルハナバチという、ミツバチよりも大きくてずんぐりした毛深いハナバチも、せっせと花を訪れて蜜と花粉を集める。マルハナバチも社会性で、小さなコロニーをつくり、花蜜と花粉で幼虫を育てている。

ハチたちは、おいしい花の種類を認識し、同じ種類の花から花へと飛び回る。そしてその分、花にとっては受粉の機会が増える。マルハナバチは、花が反射する紫外線で花の形と種類を見分けている。このことは、以前から知られていた。ところがそれだけではなく、電気的な情報も利用していることが、最近になってわかってきた。

植物は、一般に、大気の電荷に反応して負の静電気を帯びている。一方、そこを訪れるマルハナバチは、たいていは正の静電気を帯びている。そのハチが花にとまると、花の電気量（電荷）が変化する。マルハナバチは、触角とモフモフの毛でその微妙な電荷の変化を空中から察知し、蜜を吸われたばかりの花かどうかを識別できるというのだ。

花の電荷と蜜の量は、やがて回復する。回復した花を選んで訪花すれば、採蜜の効率が上がる。花にとっても、ハチにがっかりされる頻度が減るので都合がいい。さらに静電気には、花粉がハチの体に吸い付くという効能もある。まさに良いことずくめの蜜の味。

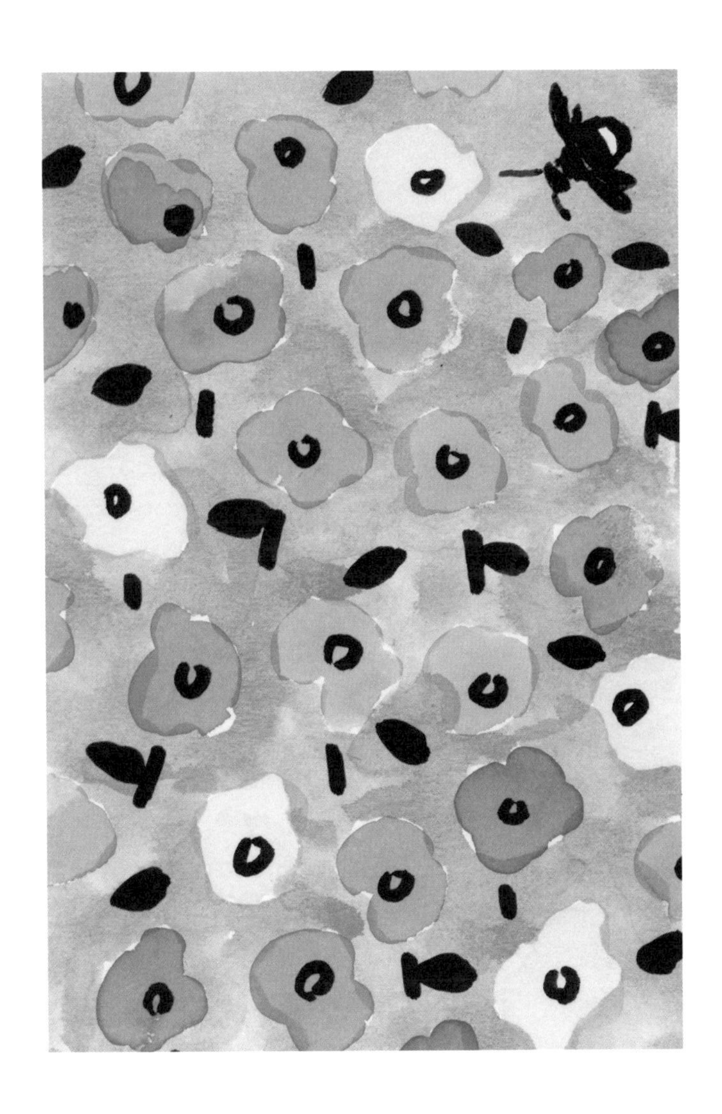

アースの贈り物

お気に入りの女優さんが出演していることもあり、NHKの朝ドラ「半分、青い。」にハマっている。どの女優さん？　ということはさておき、懐かしいネタがちりばめられていることもうれしい。なかでも『マグマ大使』ネタ。主人公の鈴愛(すずめ)は幼なじみの律を呼び出すとき、『マグマ大使』の主人公よろしく笛を吹く。なにしろぼくにとって手塚治虫のこの作品は、漫画連載もテレビ放映もリアルタイムの世代なのだ。朝ドラでは、そのテレビのワンシーンまで流れた。

手塚治虫の偉大さ、すごさは言うまでもない。その影響は各方面に及んでいる。科学ネタがたくさん盛り込まれていることの影響も大きい。そういえば、アースとマグマという言葉は、たぶん『マグマ大使』で初めて知った。日本でヒト型ロボットが主流なのも、『鉄腕アトム』の影響が大きいといわれている。

かつて、手塚作品のキャラクター分析をしたことがある。全作品に登場する科学者・工学者は全部で270人。作品中におけるその死亡率は30%で、特に悪役ロボットを作る工学者の死亡率が高かった。それ以上に驚きだったのは、登場する女性科学者・工学者の数がわずか6人だったことだ。それも全員が端役。女性科学者が大活躍する作品を手塚治虫がたくさん描いていたとしたら、理系女子の数はとうの昔に増えていたかも。

上述の朝ドラ、正義の味方マグマ大使ならぬ律はロボット工学者志望。そして鈴愛は、漫画家からやがて発明家に転身するらしい。ということは鈴愛、半分、理系？

巨大な花の誘惑

国立科学博物館筑波実験植物園で巨大な花が咲いた。高さ240㎝、直径106㎝に達したショクダイオオコンニャクの花だ。花全体の形状が巨大な「燭台（しょくだい）」に似るコンニャクの仲間である。ふつう、最短でも2年に1回しか花をつけず、しかも花を開くのは一晩だけ。

この植物は、清楚（せいそ）なミズバショウと同じサトイモ科。燭台の受け皿に相当する部分が、ミズバショウではあの「白い花」なのだ。これは、苞（ほう）という器官で、葉が変形したもの。ミズバショウの「花」は、白い苞に抱かれた黄色い円柱で、小さな花がたくさんつく。この集まりを花序という。

ショクダイオオコンニャクの花序は、漏斗（ろうと）状の苞から突き出たロウソクのような付属体の根元にあり、外からは見えない。じつはこれ、受粉を確実にするための策略である。付属体は、ロウソクが燃え上がるがごとく独特の臭いを立ち上らせて虫を誘う。やってきた虫は、ロート状の苞を滑り落ちて雌花のもとへ。その虫に他の花の花粉がついていれば受粉成就。すると時間差で、上方の雄花から花粉が落ちてきて虫につく。虫は、しおれて破れた苞から脱出し、別の花へと向かう。

原産地はインドネシアのスマトラ島。密林の林床で、この一夜の饗宴（きょうえん）が繰り広げられるのだ。ロマンチックではないか。キューピット役を務めるのは腐臭に群がる虫だということを除けば。

火付け鳥？

北半球を猛暑が襲った2018年の夏。アメリカ西海岸やヨーロッパでは大規模な森林火災が発生した。大きな損失をもたらしたわけだが、本来の自然生態系では、野火も自然の摂理の一環だった。

その顕著な例がオーストラリア。現地ではブッシュファイアと呼ばれる野火によって疎林が定期的に焼き払われ、草原から疎林、再び草原というサイクルが定着してきた。それと同時に、火事に適応した動植物も進化した。

ユーカリの幹は、樹皮に含まれる樹脂によって火から守られており、火が収まると、焦げた樹皮を破って若芽が伸びてくる。バンクシアの硬い球果は、火に焼かれることで殻が開き、種子が落下する。樹木自体は燃えてしまうが、種子は日が差す焼け跡で発芽し、灰を肥やしに成長する。

5万年ほど前にオーストラリアに渡った人類も、ブッシュファイアを活用してきた。計画的に火入れすることで、食用に適した植物の芽吹きを促すと同時に、茂みに隠れていた小動物を追い出して狩るようになったのだ。

トビとチャイロハヤブサという猛禽も、ブッシュファイアに便乗する。火事場の縁で獲物を狙う姿がしばしば目撃されるというのだ。狙いは、火に驚いて飛び出すトカゲやヘビ。しかもなんと、ときには小枝の燃えさしを別の場所に運んで火入れをするとさえいわれている。

ヒクイドリという名の鳥はいるが、こちらはさしづめヒツケドリか。

ドードー復活？

「ドードーのように死んでいる」（As dead as a dodo）という英語表現がある。ドードーとは、インド洋の孤島モーリシャスに生息していた、大きな飛べないハトの仲間。ヨーロッパ人が持ち込んだイヌ、ブタ、ネズミなどのせいで17世紀に絶滅した。『不思議の国のアリス』に登場するユニークなキャラで有名になり、「確実に死んでいる」という意味の成句が生まれた。

ところが、最新の遺伝子改変技術の登場で、最も近縁なハトを改変すればドードーをよみがえらせることも夢ではなくなった。そうなれば、この成句のほうが絶滅に瀕することになりそうだ。

ドードーの標本からDNAを採取して分析し、ドードー特有の遺伝子を現在のハトの卵に導入すれば、ドードーの復活も理論的には可能なのだ。それを実現するのがクリスパー・キャス9というゲノム編集技術である。夢物語ではない証拠に、アジアゾウを改変してマンモスを復活させる計画が進行中である。温暖化でゆるみ始めたシベリアの永久凍土を少しでも維持するためには、大型動物に大地を踏み固めてもらうのがいちばんだというのだ。

ゲノム編集技術を使えば、人間の先天的な遺伝病の治療も可能である。あるいは、スーパーマン化という禁断の領域に踏み込むことも。したがって歯止めが必要なのだが、スーパーマンは駄目でドードーやマンモスならよいのかという議論が当然起こりうる。科学技術は諸刃の剣なのだ。

自然淘汰のシッポをつかむ

自然界の造形の妙の一つに擬態という現象がある。毒がないチョウがドクチョウそっくりだったり、毒針のないハナアブがハチそっくりだっりするあれである。枯れ葉そっくりなチョウもいる。天敵が避ける種類や食べられない葉っぱに仮装することで捕食を免れているのだ。

擬態の進化は自然淘汰（とうた）の原理で説明できる。毒をもつ種類に少しでも似た変異個体は捕食を免れて残るのに対し、似ていない個体はふるい落とされることで、ドクチョウに似た個体が少しずつ増え、擬態が進化したとされる。しかし、にわかには信じがたいという人も多い。

カリフォルニア大学の研究チームは、自然淘汰を「目撃」する希少な機会を得た。ねぐらと餌場を往復する途中で大学上空を飛ぶドバトがハヤブサに襲われるのを、7年間で1,485回も観察し、自然淘汰が作用する証拠をつかんだのだ。

羽色の個体差が大きいドバトには、尾の付け根の上側が白いものがいて、白くない個体よりもハヤブサの攻撃をかわす頻度が高いことがわかった。その理由は、時速400km近いスピードで襲いかかるハヤブサに対して、ドバトは一瞬の反転をして逃げ切ろうとする。尾が白いドバトの白い羽色を目標に襲いかかったハヤブサは、ドバトが反転した瞬間、白い的（まと）を見失ってしまうらしいのだ。

羽色は遺伝する。そのため、この地域では、尾の付け根が白いドバトの割合が高くなっている。まさに、自然淘汰のふるい分け作用が進行中だったのだ。

渋柿の化学

冬が訪れ、すっかり葉を落としたわが家の柿の木。たくさんの実が未(いま)だについているのは渋柿だから。一部はさわし柿にしたのだが、全部は処理しきれなかった。ただし渋柿も熟すと甘くなる。それを目当てに、メジロやヒヨドリ、はてはカラスまでもがやって来る。そして人間の手も伸びる。落下した柿はわんこも食べる。

熟した柿の実は「熟柿」と書いて「じゅくし」と読ませる。渋柿でも熟すとなぜ甘くなるのか。さわし柿はなぜ甘いのか。ふと不思議に思い、調べてみた。

渋柿の渋みは、タンニンという化学物質のせいである。甘い熟柿は、動物に食べられ、種子が散布される。種子が成熟する前に食べられたのでは、種子散布にならない。熟していない柿の実が渋いのは、食べられないためという言い方もできる。じゃあ甘柿はというと、これは突然変異体を人間が選抜したもので、渋柿が本来の柿だという。

甘柿にもタンニンは含まれている。しかし、水に溶けない不溶性に変化しているため、舌が渋みを感じないのだ。じつは熟柿もさわし柿も、タンニンが不溶性に変化したものであるという。熟した種子からアセトアルデヒドが分泌され、それがタンニンと結合して不溶性になるのだ。焼酎にさらすさわし柿も、アルコールが分解されてアセトアルデヒドができることによる。アセトアルデヒドといえば二日酔いの元凶である。ということは、さわし柿も熟柿も、二日酔いになった柿なのかな。ただし「二日酔いに柿が効く」というのは、また別の話。

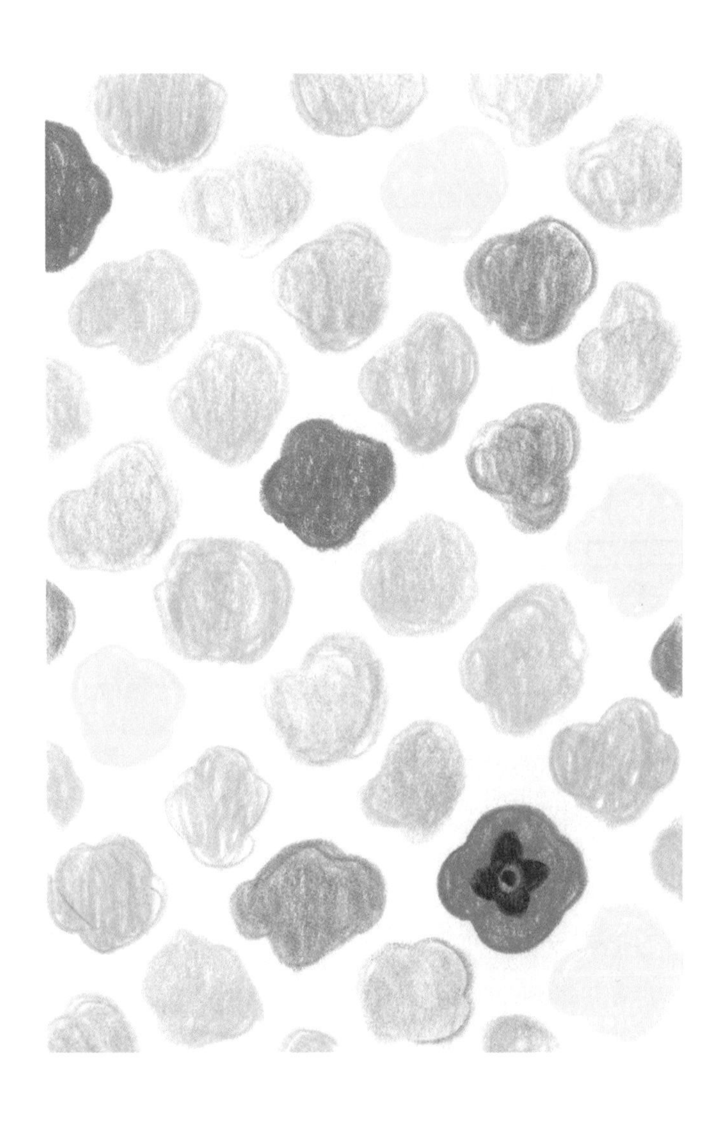

スプレー缶爆発と科学リテラシー

2018年の年の瀬を迎えていた札幌の中心部に近い地下鉄駅前の雑居ビルで爆弾が炸裂(さくれつ)した。いや、まさに爆弾が炸裂したかのような爆発だった。この事件の原因を聞いて驚いた。なんと、閉め切った屋内で噴出させた消臭剤のスプレー缶120本に引火したらしいというではないか。

スプレー缶にはジメチルエーテルという液化ガスが封入されていた。ジメチルエーテルは、同じくスプレー缶の噴射ガスとして使われる液化石油ガス(LPガス)よりも安全性が高いうえに、水に溶けやすいため消臭液などとの相性がよい。ただし、燃料としても利用可能なので、火をつければ燃える。「火気と高温に注意」の警告・注意表示があったはずなのだが、それを読まなくても、危ないという勘がはたらきそうなものだ。

2017年の人口動態統計によれば、不慮の事故死者数は4万329人。交通事故死の5,004人を除くと3万5,325人となる。しかもその多くは屋内での事故死だといわれている。たとえば火事や転倒、中毒、風呂での溺死、食事中の窒息などだ。

残念なのは、そうした事故の多くが、ある程度の予備知識、ある種の科学リテラシーがあれば避けられる類のものであることだ。それは、カーナビの仕組みを知っていることや、コンピューターを「打てる」知識のことではない。スプレー缶爆発の一件からも、暮らしの知恵としての科学リテラシーの大切さがわかろうというものだ。

DEODO

生きている化石

春めいてうれしくなることも多いが、嫌なざわめきも少なくない。たとえば、外を歩けばスギ花粉が舞い、屋内ではそろそろゴキブリが。

ゴキブリは、「生きている化石」という呼ばれ方をしてきた。そのわけは、およそ3億年前の石炭紀から、ほぼ姿を変えずに来たからだという。そしてこの「称号」は、それほどしぶとい連中なのだから退治は無理というあきらめの境地を醸（かも）してきた。

だが、ゴキブリの起源はそれほど古くはないという研究成果が出た。筑波大学の研究者も参加する国際研究チームによれば、何十種もの昆虫の遺伝子を比較して系統を復元した結果、ゴキブリが登場したのは3億年前ではなく2億年前のペルム紀だったと判明したというのである。

じゃあ、「ゴキブリ」といわれていた3億年前の化石は何だったのと突っ込みたくなる。じつは、もともと専門家のあいだでも「ゴキブリモドキ」的な呼ばれ方をしていたらしく、ほんとうにゴキブリなのかどうか、議論の的（まと）だったらしい。

たしかに、3D復元図を見ると、触角も産卵管も、ゴキブリの仲間の特徴ではない。あえて似ているところをあげれば、なんとなく平べったいところか。

でもまあ、2億年だって十分に古い。しかも恐竜の時代と呼ばれる白亜紀にはすっかりゴキブリらしくなっていたというから、やはり「生きている化石」と呼ばれる資格がありそうだ。

勝訴

新しい時代

新年度や代替わりを迎えるたびに、気持ちを新たにしたくなるから不思議である。しかし時間は、うつせみの事情などお構いなしに、途切れることなく淡々と流れてゆく。そこに区切りを入れたくなるのが人情なのか。

地球の誕生は46億年前。19世紀に登場した近代地質学は、地球の歴史に時代区分を設けてきた。古生代とか中生代、白亜紀とかジュラ紀、石炭紀といった地質年代がそれだ。それぞれの区分は、地層中に残された顕著な痕跡によって区切られてきた。

今の世は、新生代第四紀の後半、1万1,700年前に始まった完新世にあたる。マンモスが絶滅したのを皮切りに、地球が比較的温暖で平穏な状態に落ちついた時代である。

しかしこの時代に入ってから、人類は地球を収奪し、地質年代を画してきた変革並みの衝撃を地史に及ぼしてきた。そこで近年、完新世はすでに終わっている、「人新世（アントロポシーン）」という時代区分を新設しようという動きがある。そうすることで、地球の行く末に対する人類の責任を自覚すべきだというのだ。

ただし賛同者は多いものの、人新世元年はいつかで意見が割れている。「2,000年前」という意見もあれば、「産業革命が開始された250年前」という意見もある。広島原爆投下の年こそがふさわしいという意見もあっていい。なにしろ事は、人類に猛省を迫る時代区分の策定なのだから、いたずらに和に走る必要はない。

Anthro-
pocene

くまんばち悲喜こもごも

五月晴れの庭で、せわしなく飛び回る黒い小物体を発見。まるでドローンのように空中停止飛行（ホバリング）をしながら、急上昇と急降下を繰り返している。さっそくのネット検索で判明した正体は、体長はせいぜい3cm、黄色い胸以外はまっ黒なキムネクマバチというクマバチだった。

飛び回っているのは冬眠から目覚めたオスで、開けた空間をなわばりにし、メスの登場を待つ。首尾よく交尾ができれば任務達成。オスの一生はそれで終わる。めでたいような悲しいような。

交尾を終えたメスはひとりで朽木などにトンネルを掘り、花粉を団子にして貯蔵し、そこに卵を産む。木材に穴を掘ることから、学名のクシュロコパは「材木カッター」を意味する古代ギリシャ語、英名はカーペンター・ビー（大工蜂）。和名は、黒いモフモフが熊を連想させたのだろう。「くまんばち」の通称もある。ただし性格は温和なので、むしろ「くまモンバチ」と呼びたくなる。

ホバリングができるのは、8の字を描くようにはねを高速で回転させられるからだ。体が重そうな見かけに反して、とても機敏なのである。やはりホバリングをするハチドリも、翼を同じように羽ばたかせている。

数日後、オスの姿が見えないと思ったら、地面で冷たくなっていた。任務を達成できたのならよいが。折しも華やかに咲き誇るフジの花をメスバチが訪れていた。

植物にもっと敬意を

地球上でいちばんたくさんいる生物グループは何だろう。生物学者も含めてたいていの人は、細菌でしょうと答えるはずだ。なにしろ細菌は、目には見えないがいたるところにいて、すさまじい増殖力を誇っているのだからと。

しかし、正解は植物である。2018年に、地球上の生物のグループ(界という大きな単位)別総重量(バイオマス)を推定した調査結果が初めて発表された。その結果によれば、全バイオマスのうちの80%は植物で、2位の細菌は15%だった。動物のバイオマスにいたっては0.36%で、植物の0.5%にも満たない。ちなみに動物のうちの3%は人類で、これは野生哺乳類の8.6倍に相当する。

家畜と家禽(かきん)を足し合わせたバイオマスの総量は、野生哺乳類と野生鳥類の合計よりも多い。人類は1万年前に農業を開始して以来、人口と農業生産を増大させる一方で、自然の植生を破壊し、植物のバイオマスを半減させたともいう。

われわれはどちらかといえば動物偏重で、植物に関しては美的な面と効用的な面のみに注意を払いがちである。しかし植物は、地球環境にとってとてつもなく重要な存在なのだ。植物の価値に対する世間の認識が薄いことを憂いて、1998年にPlant Blindness(「植物盲」)という概念が提起され、教育の必要性が訴えられた。その裏付けがようやく得られたわけである。そうなのだ、われわれは身近にいる大切な存在を見損なってきたのだ。猛省すべし。

聞く耳を持つ花

宵待草とか月見草の異名をもつマツヨイグサには、どこかはかなげで受け身的なイメージが付きまとう。それは、「待てど暮らせど来ぬ人を」と歌った竹久夢二のせいなのか、あるいは「富士には月見草がよく似合う」とつぶやいた太宰治のせいなのか。

しかし、現実のマツヨイグサはもっとタフなようだ。その名は、夕方から朝にかけて花を開くことに由来している。もしかしたらこの習性には、したたかな狙いがあるのかもしれない。たとえば、吸蜜のついでに花粉を運んでくれる昆虫の種類を、薄暮性のスズメガや一部のハナバチに絞ることで、受粉を確実なものにしているとか。

それだけではない。イスラエルの海岸に咲くマツヨイグサの一種は、ハチやスズメガの羽音に反応して、それまで12〜17%だった蜜の糖分濃度を3分以内に20%に高めて虫を呼び寄せるという。しかも反応するのは羽音の低周波音に対してだけで、それ以外の周波数には反応しない。その際、お椀状の花が集音器のような役割を果たすというからおもしろい。

むろん、マツヨイグサに知能があるわけではない。一定の周波数に機械的に反応しているだけなのだろう。しかしそうすることで、蜜という有限な資源を効率的に運用して受粉の可能性を高めるという合理的な戦略を実現しているのだ。つまり実際のマツヨイグサは、決して受け身の存在などではなく、計算高いしたたかな花ということになる。

コアラのウンチパワー

オーストラリアだけに生息するコアラはパンダと並ぶ人気者である。しかしパンダ以上の偏食家でもある。なにしろ600種ともそれ以上ともいわれるユーカリのなかの特定の種類の葉しか食べないのだ。

メルボルン南西部の海岸線を走るグレート・オーシャン・ロード（道）は、海岸の奇岩とユーカリの原生林が見所の観光名所である。その中心であるオトウェイ岬のユーカリ林に野生のコアラが生息している。

ところが2013年には、マナガム種のユーカリを食べ尽くすほどにコアラが増えてしまい、7割のコアラが餓死に追い込まれた。問題は、その地域にはタスマニアン・オークという種類のユーカリもたくさん生えているのに、マナガムしか食べないことだった。

コアラは、有毒なユーカリの葉を解毒分解して消化するための特殊な腸内細菌叢（そう）（フローラ）をもっている。コアラの赤ちゃんは、離乳時に母親のウンチを食べることでその腸内フローラを受け継ぐ。そこで研究者は、よその土地にすみ、タスマニアン・オークを食べるコアラのウンチから取り出した腸内フローラをマナガム食のコアラに移植してみた。するとタスマニアン・オークの葉も食べられるようになったという。おかげでコアラ保護にとって新たな展望が開けた。

腸内フローラを活用する便移植療法は、人間の免疫治療でも注目されている。ただし、人間がコアラのウンチを食べてもユーカリ食になれるとは思えないので念のため。いや、なりたくもないか。

タピオカの教え

いっとき、大ブームだったタピオカドリンク。しかし、プニュプニュした食感の裏の顔は意外と知られていないのではないか。

原料であるキャッサバは南アメリカ原産で、1万年前から食用にされていた。茎を地面にさせば簡単に殖やせるうえに干ばつに強く、収量ではイモ類や穀類を上回るため、ポルトガル人がアフリカに持ち込んだ17世紀初めを機に急速に世界に広まった。

しかし、おいしい話ばかりではなかった。キャッサバは青酸化合物を含むため、毒抜き処理をしないと中毒を起こすのだ。当初、アフリカには毒抜きの必要性と方法が伝えられなかった。毒性の弱い品種は熱処理をすれば急性中毒を起こさないため、必要性が認識されていなかったのだろう。

その結果、危険を知らされなかった地域では慢性中毒の罠(わな)が仕込まれた。ある日突然、神経障害、発達障害、下半身まひ、甲状腺異常などの症状が表れかねなくなってしまったのだ。原産地では、1万年前に毒抜きの方法が編み出され忠実に守られてきたおかげで慢性中毒は見られない。

秋になると、生半可な知識によるキノコ中毒のニュースが流れる。ということは、楽しい食文化は有毒な食物を試した先人の冒険心があったればこそだが、人類の大勢としてはむしろ、先人の知恵に固執する保守性こそが繁栄の元だったのかもしれない。

あっ、安易にブームに乗っちゃだめ！という野暮な話ではないので誤解しないでね。

大地のはらわた

万学の祖アリストテレスは、ミミズを「大地のはらわた」と呼んだ。ミミズが土を食べていることを知っていたからだろう。ミミズは大地を耕して土壌を肥沃(ひよく)にし、植生に影響を与えることから、「生態系のエンジニア」とも呼ばれる。

英語で人間を意味するhumanは、ラテン語で土壌を意味するhumusに由来している。命は土から生まれて土に戻るという意味なのだろうか。

一方、英語のhumusは腐植土ないし腐葉土のことである。さらに言うなら、ミミズの腸(はらわた)を通過した土を意味する。となると、人はミミズの糞から生まれたといえないこともない。

人の生活と因縁浅からぬミミズだが、じつはよくわかっていないことが多い。少なくとも7,000種が知られているのだが、実際にはその2倍ないし3倍はいるかもしれない。特に熱帯に生息するミミズは、研究者の数が少ないせいで研究が遅れている。

そこでこのたびとりあえず、35カ国141人の研究者が協力し、57カ国7,000カ所のミミズの現状が調べられた。その結果、ミミズの生息量がいちばん多いのは温帯で、熱帯は意外と少ないことがわかった。多い場所だと1㎡に150匹、1ha当たり1.5tもの生息が可能だという。ただし、生息数は気温や降水量に左右されるので、この先、地球温暖化の影響が懸念される。

われわれはわが同胞(はらから)のことをもっと知る必要がありそうだ。

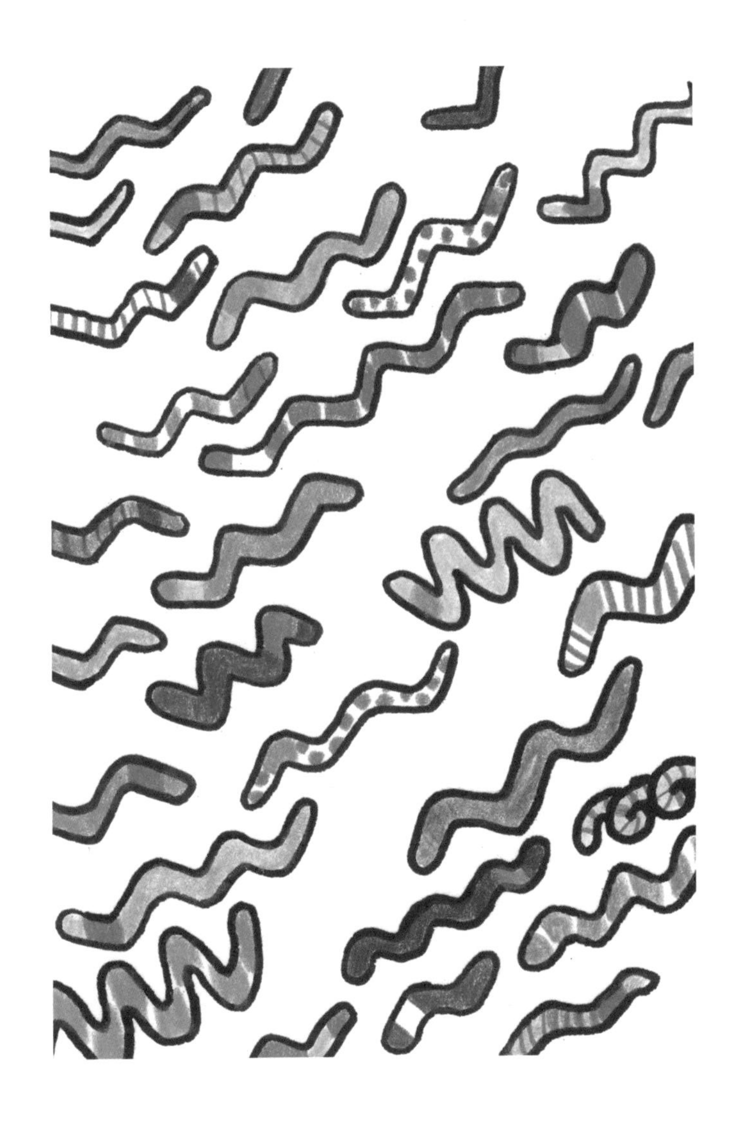

人類は湿地帯で生まれた!?

われわれホモ・サピエンスがこの世に登場したのはおよそ20万年か30万年前、アフリカのどこかでのことだった。それはどこだったのか。これまでは、化石人類がたくさん見つかっている東アフリカかエチオピアあたりとされていた。

2019年に別の可能性が浮上した。アフリカの部族のミトコンドリアその他を分析した結果、もう少し中央寄りのナミビアとジンバブエに隣接するボツワナ北部だったと判明したというのだ。現在は、マカディカディ塩湖を擁するマカディカディパン国立公園とその周辺地域を指すようだ。

今回の研究では、遺伝学的データだけでなく、考古学、文化人類学、言語学、気象学などの情報も加味された。

その筋書きによると、かつてそこは、アフリカ最大の湖水地帯だった。それが人類発祥に先立って地殻変動の影響で乾燥が始まり、エデンの園にたとえられそうな大湿地帯に変わった。そこに居ついた人類の祖先から誕生した現在の人類の暮らしは安定していた。13万年ほど前、地軸の変化で環境が変わり、北東方向に緑の回廊が開けたため、開拓者グループがそちらへの移動を開始した。人口増加と進取の気性が後押ししたのかもしれない。その2万年後には南西方向への回廊も開けたという。

比較的狭い範囲で進化してから各地に広がったというこの説明には説得力がある。だとすると、われわれは楽園を出た人類の末裔ということになる。

ネズミ年縁起

亥年（いどし）は各地にイノシシ出没という話題がニュースをにぎわせた。子年（ねどし）は、愛らしいネズミ（マウス）をメインキャラにしているテーマパーク運営会社の株価上昇というニュースで始まった。株の予想はできないが、ペットとしてのネズミ人気の急上昇がありそうな予感はする。

ネズミは実験動物として重用されているが、それらはペット化された品種に由来している。野生のハツカネズミは人間を恐れ、飼育していてもびくびくしているという。そういうネズミの中から少しでも人を恐れない個体を選び出し交配させることで、ペットとなるネズミが作られた。

ただし品種改良の進んだ飼育ネズミとはいえ、人の手に自分からすすんで寄ってくる行動は見られない。ハツカネズミではそこまでのペット化は無理だったのだろうか。

この疑問に答えるべく、2017年、国立遺伝学研究所の研究者が、少しでも人なつこい個体を選別して交配を重ねてみた。その結果、人の手にすすんで寄ってくるグループができあがったという。そこでこのグループの遺伝子を調べたところ、じつに興味深いことがわかった。イヌがオオカミから家畜化される過程で選ばれてきたと思われる、セロトニンという脳内物質に関係する遺伝子と共通した遺伝子が見つかったというのだ。

交配によってこの性質を伸ばしていけば、やがては、人に呼ばれてしっぽを振るネズミも登場するかもしれない。

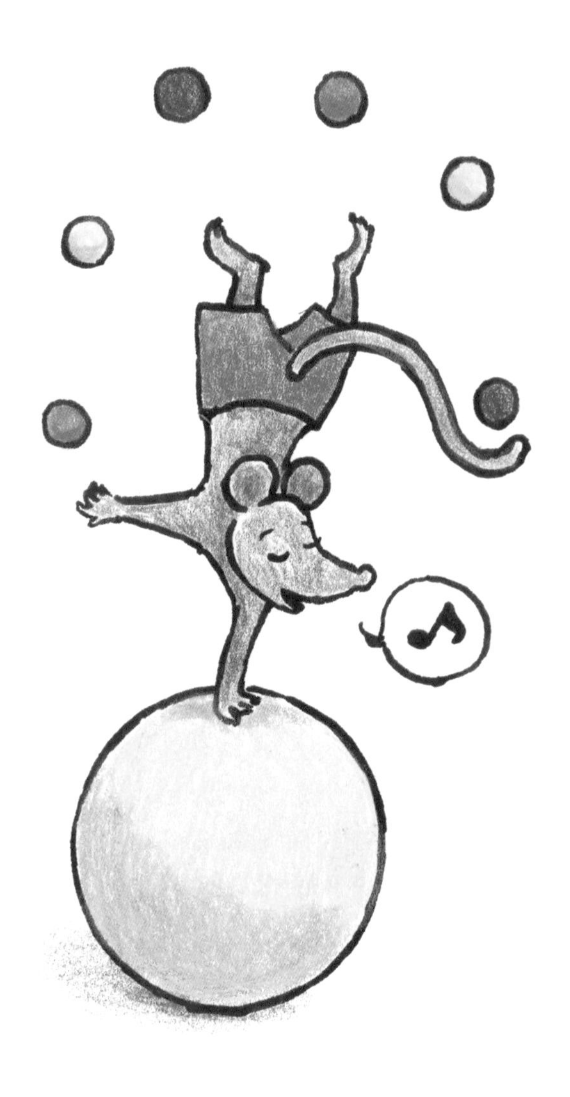

科学の出番

映画『ジュラシック・パーク』の原作者として有名なマイクル・クライトン。彼のすごいところは、最先端科学をネタに、アクションと謎解きも盛り込んだ緻密なストーリー構築にあった。『ジュラシック・パーク』も、琥珀(こはく)中の蚊の化石から抽出したDNAから恐竜を復元するという、必ずしも荒唐無稽(むけい)ではない発想から出発していた。

彼の出世作は『アンドロメダ病原体』(1969年)。読後、こんな才人がいるのかと感嘆させられたことを覚えている。生物兵器開発用に宇宙空間で採取した病原体が引き起こす5日間のパニックを描いた物語で、生命科学の確かな知識に裏付けされたSFバイオ・サスペンスの傑作である。

これを書いたとき、クライトンはハーヴァード大学医学部在学中だった。医学博士号取得後は、生物学の有名な研究所のポスドクも経験している。ちなみに病院の救急救命室を舞台にした人気ドラマ「ER」の原案者でもある。

アンドロメダ病原体に侵された町の生存者は、アルコール依存症の老人と赤ん坊の2人だけだった。病原体と生存者をめぐる謎に科学者チームが迫るかたちで物語は進行する。

彼の作品では、生物兵器も恐竜も制御不能となる。科学を重視しつつも過信は禁物というメッセージなのだ。小説中のパニックはあっけなく終息するが、現実の新興感染症は一筋縄では行かない。科学や専門家を軽視する政治家のスタンドプレーは、残念な悲喜劇を見ているかのようだ。

人は学ぶことで進化してきた

新型コロナウイルスの猛威には恐るべきものがある。政府は国民に一方的に自粛を求めるだけで、事態の展開を見越した対策を立てている気配がない。もはやオリンピックどころの話ではないはずなのに。

感染の有無を調べる検査を大規模に行って基礎データを手に入れないことには、対策の立てようがないと思うのだが。精神論や思い付きで抑え込める相手ではない。

今回もまた、「想定外」という言い訳を繰り出すつもりなのだろうか。

むろん、今回の感染症は突如出現した新興感染症であり、人類にとって未経験なことが多い。なればこそ、エボラ出血熱やSARS（重症急性呼吸器症候群）などをめぐるこれまでの経験と最新の科学的知見を総動員する必要がある。

人類が突出した進化を遂げられた秘訣（ひけつ）は、ゼロからの創意工夫能力ではない。経験を積み重ね、知識を共有できる能力にこそあった。

幼児の行動を観察した研究によれば、幼児は見知らぬモノを恐れ、周囲の年長者の行動を熟視して模倣するという。経済ゲームに参加した大人の行動観察でも、成功例を模倣する傾向が強い。このような他人の経験の模倣は、人が生まれつきもっている遺伝的な気質であり、そういう気質がさらなる成功をもたらす好循環によって育まれ、広まってきたと考えられている。

失敗を改め成功例に学ぶに如（し）くはない。

不要不急の外出はお控えください

コロナ禍の最中、再放送されているテレビ番組で特にはまったのが、TBS系列の「JIN –仁–レジェンド」だ。

現代の医師が江戸時代にタイムスリップする話である。コロリ(コレラ)や梅毒、盲腸、重度のやけどなど、江戸時代には治療法のなかった病気やケガを治療する話が展開する。

たしかに、今ならば救えたはずの命なのにと思えることは多い。平均寿命の延びがその典型だろう。医学や保健衛生の進歩で救える命が増えるほど、平均寿命は延びる。江戸時代に青カビからペニシリンを作る話が、このドラマでは重要なエピソードとなっている。

ならば2019年末に発生した新型コロナウイルス感染症という大問題も、ワクチンや特効薬の開発を待つしかないのか。いや、そんなことはないはずだ。

1854年、ロンドンで原因不明で恐れられていたコレラが流行した。それを救ったのが開業医のジョン・スノーだった。患者の時系列的な発生状況を地図に落とし込むことで一つの井戸が感染源の大本であることを突き止め、その井戸を使用禁止にしたところ、コレラの拡大が止まったのだ。これが疫学のはじまりとされている。ロベルト・コッホがコレラの病原菌を突き止める30年も前のことだった。

この教訓は、特効薬の開発を待たなくても打てる対策はあるということだ。不要不急の悪法など審議している場合ではない。国民の命を守る対策を急ぐのが政治家、行政官の使命ではないのか。国民は、もっと怒るべきだ。

月に願いを

6月の満月は、アメリカではストロベリームーンと呼ばれている。もともとは、アメリカ先住民、それも北アメリカ北東部に居住していたアルゴンキン族が用いていた満月とその月の呼称に由来する。野イチゴが実る季節にあたることを意味しているという。

ちなみに5月はフラワームーン、7月はバック（オス鹿）ムーンである。後者は、オス鹿に角が生える季節を意味している。こうした呼称を白人入植者が歳時記として取り入れ、農業や暮らしの知恵にいかしてきたようだ。

満月になるのは、月が太陽の光を正面から受けるからで、地球から見て、そのときの月と太陽は正反対の方向に位置している。つまり満月は日没と共に東から昇り、日の出と共に西に沈む。与謝蕪村の「月は東に日は西に」とは、満月の出を詠んだ俳句ということになる。

2020年のストロベリームーンは6月6日午前4時過ぎに月齢15となった。まさに日の出の時刻だった。

地球の自転と月の公転速度の関係で、月の出は、平均すると毎日50分ずつ遅くなってゆき、29.5日で満ち欠けが一巡する。それを基準にした陰暦では1年は354日となり、太陽暦よりも11日ずつ早く年をとることになる。

目下の国難も1年もすればほとぼりが冷めるという超楽観的な見通しをさらに早めたいなら、月に願いを託し、陰暦の採用を「躊躇（ちゅうちょ）なく実施」する奇策を推したい。いや、まさかね。

天まかせ

『枕草子』の239段（角川文庫）は、「星は、すばる。ひこぼし。ゆふづゝ。よばひほし、すこしをかし。尾だになからましかば、まいて」と嘆じている。すばる（昴）とひこぼし（彦星）は言うまでもないだろう。「ゆふづゝ」は宵の明星こと金星。「よばひほし」とは流れ星のことなのだが、「味があるけど、尾を引いていなければもっと良い」と言われると、「?」という気もする。尾を引かない流れ星？

これは、屋敷の前で恋人に呼びかける（呼ばう）のはいいけれど、尾を引いてしっぽをつかまれるのは野暮よという意味だという。

流れ星ではなく彗星（すいせい）ではという解釈もあるが無理がある。流れ星は吉兆だが、彗星は凶兆だからだ。

なにしろ、ハレー彗星が出現した989年には、そのせいで先の改元からわずか3年で改元が行われた。清少納言もそのハレー彗星を目にしていたはずである。しかし改元直後に猛烈な台風に襲われたため、わずか1年で再び改元に至った。

折しも2020年7月の今、ネオワイズ彗星が日没直後の西北西の空に出現している。それを凶兆と言うつもりはない。宇宙の理（ことわり）が人間の思惑と関係するはずもないからだ。眼前の凶事には、天まかせではなく、人知を尽くして対策にあたるしかないのだ。

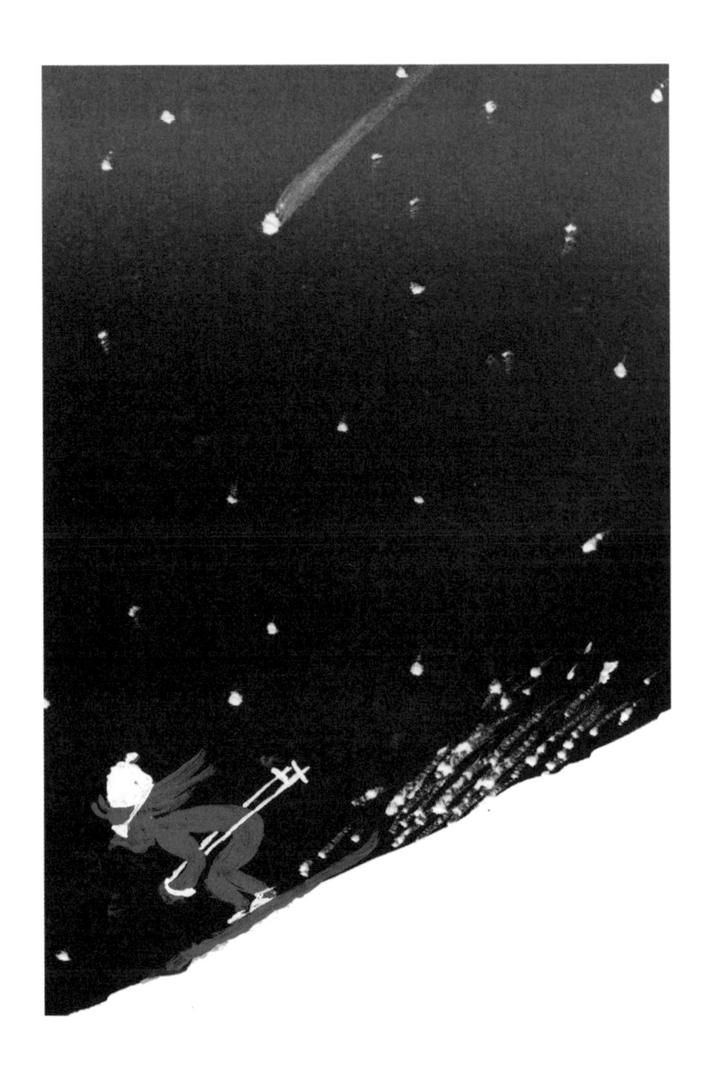

どんぐり縁起

2015年4月に連載を開始した本コラム、今回の63回で最終回となる。連載時のタイトルは、物理学者にして希代の随筆家、寺田寅彦の珠玉の掌編にあやかった。

随筆「どんぐり」は、幼子を残して早世した妻夏子の思い出を綴(つづ)った哀切きわまりない作品である。

初めての随筆となったこの作品は、吉村冬彦のペンネームで発表された。亡妻の名とのゆかりがうかがわれる筆名だ。掲載誌『ホトトギス』では、同じ年に漱石の『吾輩は猫である』の連載が始まっていた。

『猫』に登場する理学士寒月は寅彦がモデルである。寒月の雑談は、「団栗(どんぐり)のスタビリチー(安定性)を論じて併せて天体の運行に及ぶ」と紹介されている。児童文学雑誌『赤い鳥』に寅彦が寄稿した「茶碗の湯」がまさに、短い話なのにどんぐりから宇宙に及ぶかのようなスケールの大きさである。茶碗から立ち上る湯気から地球大気の話につながる内容なのだ。

寅彦は、熊本の第五高等学校で英語教師の漱石と出会い、俳句の教えを請うた。俳句で鍛えられたせいか、味わい深い寸言も多く語り伝えられている。「天災は忘れた頃にやってくる」はその筆頭だが、個人的なお気に入りは、「棄てた一粒の柿の種/生えるも生えぬも/甘いも渋いも/畑の土のよしあし」である。

ここからいかなる教訓を読み取るか。受け取る側の想像力が試される含蓄に富む金言である。

もっと科学を知るための一冊

科学の本と言っても、いろいろなスタイルがあります。エッセイ（随筆）というジャンルでも、科学が語られてきました。この科学随筆の先駆者が、明治時代から昭和にかけて活躍した物理学者の寺田寅彦です。寺田は、一般向けの科学書は残しませんでしたが、たくさんの随筆を書きました。本書の元となった連載のタイトルに借りた「どんぐり」という随筆は、科学随筆というよりは文芸作品ですが、寺田は多様な随筆を通じて、日常生活の中の科学や科学的な考え方を語りました。岩波文庫から全5冊の随筆集も出ていますが、とりあえずは、若い読者を想定して代表的なものを集めて編集されている『科学と科学者のはなし――寺田寅彦エッセイ集』をお勧めします。これを読んで面白いと思ったら、ほかの随筆にも挑戦してください。

その寺田のお弟子さんにあたるのが、同じく物理学者の中谷宇吉郎です。人工雪の結晶を世界で初めて作った人です。中谷も、たくさんの随筆を残しています。『雪は天からの手紙――中谷宇吉郎エッセイ集』が、その入門編となるでしょう。

子供向きの科学書の古典中の古典に、マイケル・ファラデーというイギリスの物理学者が1861年に出版した『ロウソクの科学』という本があります。これは、1860年の新年に、ファラデーが子供向きに行った公開実験講座を本にしたものです。一本のロウソクから、燃焼の化学やその歴史を語っています。『「ロウソクの科学」が教えてくれること

──炎の輝きから科学の真髄に迫る、名講演と実験を図説で』は、その実験を再現してよみがえらせた本です。

ファラデーの『ロウソクの科学』に着想を得たのではないかと、ぼくが密かににらんでいるのが、寺田寅彦が児童文学雑誌に書いた随筆「茶わんの湯」です。茶わんから立ち上る湯気の話から大気循環の話へと話が広がっています。『科学絵本 茶わんの湯』は、それを絵本に仕立てています。

本よりもマンガが好きという人も多いと思います。そういう人には、漫画家の高野文子が物理学の本に着想を得て描いた『ドミトリーともきんす』はどうでしょう。朝永振一郎、牧野富太郎、中谷宇吉郎、湯川秀樹という実在の科学者が暮らす学生寮という趣向です。面白いと思ったら、それぞれの人たちの本を捜して読んでみましょう。ぼくはかつて、その住人の一人で日本人として最初にノーベル賞を受賞した湯川秀樹の『旅人』という自伝を読んで物理学者にあこがれました。

河合雅雄の『少年動物誌』は、動物学者が少年時代の思い出を語った本です。科学者には、好奇心と想像力や豊かな感性も大切だということが実感できます。

科学は、人類が積み上げてきた知識の体系です。それを手っ取り早く、ただしきちんと、しかも面白く知りたいなら、『人類が知っていることすべての短い歴史』がお勧めです。著者が自分で調べて面白いと思った科学の歴史が語られています。

『銃・病原菌・鉄──一万三〇〇〇年にわたる人類史の謎』は、人類の文明に関する歴史観を意表を突く視点から引っくり返した本です。新大陸で栄えていた文明がいともたやすく征服されたのは、人種の優位差などのせいではなく、書名にある銃と病原菌と鉄のせいだったという斬新な文明史観です。

その人類も、生物の一種です。40億年近く前に誕生した生命は、さまざまな生きものを進化させてきました。その歴史と、それを研究した科学者の愉快な生態を語っているのが『生命40億年全史』です。ぼくが訳して好評を博した本で、たくさん届いた読者カードのなかには、93歳の読者が3人もいました。ホームレスの人からは、空き缶を集めて売ったお金で買って読んだというメッセージが届きました。読者の年齢に関係なく、ぜったいにおもしろい本です。

ぼくらは、お母さんのおなかの中では羊水という水の中に浮いていました。ということは、生まれる前は水生動物だったということです。それが生まれてオギャアと泣いた瞬間に、陸上動物に生まれ変わるのです。そんな不思議について知りたければ、『胎児のはなし』を読んでください。生徒と先生という形式でテンポよく語られています。

最後に紹介するのは、本書が生まれるそもそものきっかけを作ってくれた人が書いた『科学のミカタ』です。「ミカタ」には「見方」と「味方」を引っかけていることがわかりますか。著者の元村さんが、毎日新聞にコラムの連載をしませんかと声をかけてくれたことで、本書が生まれたのです。

科学は、試験勉強のためだけの科目ではありません。科学を学ぶことで、生きてゆくのに役立つだけでなく、視野も広がるし、いろいろ楽しいことも増えます。そしてなによりも、ジャンルを問わず、読書は世界の扉を開いてくれます。

◎**書籍リスト**

- 寺田寅彦著、池内了編『科学と科学者のはなし 寺田寅彦エッセイ集』岩波書店（岩波少年文庫）、2000年
- 中谷宇吉郎著、池内了編『雪は天からの手紙 中谷宇吉郎エッセイ集』岩波書店（岩波少年文庫）、2002年
- マイケル・ファラデー著、尾嶋好美編訳、白川英樹監修『「ロウソクの科学」が教えてくれること 炎の輝きから科学の真髄に迫る、名講演と実験を図説で』SBクリエイティブ（サイエンス・アイ新書）、2018年
- 寺田寅彦著、髙木隆司・川島禎子解説、髙橋昌子絵『科学絵本 茶わんの湯』窮理舎、2019年
- 高野文子著『ドミトリーともきんす』中央公論新社、2014年
- 河合雅雄著、平山英三画『少年動物誌』福音館書店（福音館文庫）、2002年
- ビル・ブライソン著、楡井浩一訳『人類が知っていることすべての短い歴史』（上下）新潮社（新潮文庫）、2014年
- ジャレド・ダイアモンド著、倉骨彰訳『銃・病原菌・鉄 一万三〇〇〇年にわたる人類史の謎』（上下）草思社（草思社文庫）、2012年
- リチャード・フォーティ著、渡辺政隆訳『生命40億年全史』（上下）草思社（草思社文庫）、2013年
- 最相葉月・増﨑英明著『胎児のはなし』ミシマ社、2019年
- 元村有希子著『科学のミカタ』毎日新聞出版、2018年

初出一覧

本書は毎日新聞連載の科学コラム「団栗（どんぐり）」（2015年4月～2020年8月）に加筆・修正をしてまとめたものです。以下にその掲載年月日と初出タイトルを記します。

	タイトル	掲載年月日	初出タイトル
1	訳語がつくるイメージ	2015年4月12日	「訳語がつくるイメージ」
2	よみがえれ雷竜	2015年5月10日	「よみがえれ雷竜」
3	パンダは進化の気まぐれ	2015年6月7日	「パンダは進化の気まぐれ？」
4	ニワトリの口	2015年7月5日	「ニワトリの口」
5	うな重	2015年8月2日	「うな丼」
6	永遠平和のために	2015年8月30日	「永遠平和のために」
7	よみがえる記憶	2015年9月27日	「よみがえる記憶」
8	楕円球の行方	2015年10月25日	「楕円球の行方」
9	胡蝶の夢	2015年11月22日	「胡蝶の夢」
10	コロンブスの卵	2015年12月20日	「コロンブスの卵」
11	新年の明星	2016年1月31日	「新年の明星」
12	ダーウィンデイ余話	2016年2月28日	「ダーウィンデー余話」
13	国の顔	2016年3月27日	「国の顔」
14	ドッグイヤー	2016年4月24日	「ドッグイヤー」
15	竹林の賢人	2016年5月22日	「竹林の賢人」
16	ごん狐	2016年6月19日	「ごんぎつね」
17	科学的って？	2016年7月17日	「科学的って？」
18	セミの季節	2016年8月14日	「セミの季節」
19	草むしりの科学	2016年9月11日	「草むしりの科学」
20	ワープロの日	2016年10月9日	「ワープロの日」
21	カボチャ日和	2016年11月6日	「カボチャ日和」
22	リスクと言われても	2016年12月4日	「リスクと言われても」
23	酉年縁起	2017年1月15日	「酉年縁起」
24	くちばしをはさむ	2017年2月12日	「くちばしをはさむ」
25	ラ・ラ・ラ	2017年3月12日	「ラ・ラ・ラ」
26	奇妙な晩餐	2017年4月2日	「奇妙な晩餐」
27	ひょうたんから猫	2017年4月23日	「ひょうたんから猫」
28	使える知識	2017年5月21日	「使える知識」
29	マラケシュ便り	2017年6月18日	「マラケシュ便り」
30	不安で眠れない	2017年7月16日	「不安で眠れない」

	タイトル	掲載年月日	初出タイトル
31	一線を越えさせてはいけない！	2017年8月13日	「一線を越えさせてはいけない」
32	夏の思い出	2017年9月10日	「夏の思い出」
33	地球の恵み	2017年10月8日	「地球の贈り物」
34	トガリネズミであるとは	2017年11月5日	「トガリネズミであるとは」
35	ギフテッド	2017年12月3日	「ギフテッド」
36	とんだ贈り物	2018年1月14日	「とんだ贈り物」
37	誕生日のパラドックス	2018年2月11日	「ダーウィンとリンカーン」
38	キーウィが翔んだ日	2018年3月11日	「再び空を飛びたい鳥たち」
39	犬のミカタ	2018年4月15日	「犬のミカタ」
40	蜜の味	2018年5月20日	「蜜の味」
41	アースの贈り物	2018年6月24日	「アースの贈り物？」
42	巨大な花の誘惑	2018年7月29日	「巨大な花の誘惑」
43	火付け鳥？	2018年9月2日	「火付け鳥？」
44	ドードー復活？	2018年10月7日	「諸刃の剣」
45	自然淘汰のシッポをつかむ	2018年11月11日	「自然淘汰のしっぽをつかむ」
46	渋柿の化学	2018年12月16日	「渋柿の化学」
47	スプレー缶爆発と科学リテラシー	2019年2月3日	「科学リテラシーの大切さ」
48	生きている化石	2019年3月10日	「生きている化石」
49	新しい時代	2019年4月14日	「時代を区切る」
50	くまんばち悲喜こもごも	2019年5月19日	「クマンバチ悲喜こもごも」
51	植物にもっと敬意を	2019年6月23日	「植物にもっと敬意を」
52	聞く耳を持つ花	2019年7月28日	「聞く耳を持つ花」
53	コアラのウンチパワー	2019年9月1日	「コアラのウンチパワー」
54	タピオカの教え	2019年10月6日	「タピオカの教え」
55	大地のはらわた	2019年11月10日	「大地のはらわた」
56	人類は湿地帯で生まれた!?	2019年12月15日	「人類は湿地帯で生まれた!?」
57	ネズミ年縁起	2020年2月2日	「ネズミ年縁起」
58	科学の出番	2020年3月8日	「科学の出番」
59	人は学ぶことで進化してきた	2020年4月12日	「ヒトは学ぶことで進化してきた」
60	不要不急の外出はお控えください	2020年5月17日	「不要不急はお控えください」
61	月に願いを	2020年6月21日	「月に願いを」
62	天まかせ	2020年7月26日	「天まかせ」
63	どんぐり縁起	2020年8月30日	「どんぐり縁起」

あとがき

わが家からは、海の方向から昇る朝日を遠くに拝むことができます。日の出の光景は、空気の状態や雲の様子など、気象条件により、毎日変わるので見あきません。美しい朝焼けにならないときは少し残念な気持ちになりますが、それは身勝手というものでしょう。

夕方には月の出も見えます。しかし、それがいつも満月であることに気付いたのは、だいぶたってからのことでした。月の満ち欠けは、太陽と月との位置関係によります。なので、満月の出は、必ず日没時の東からと決まっているのです。理屈を知って、宇宙を身近に感じました。

シリアから筑波大学に留学し、金子みすゞの研究で博士号を取得したナーヘド・アルメリさんは、「アラビア語で読まれた詩（中略）には絶対登場しなかった虫が、日本の歌にはたびたび出てきて、しかも虫が季語であることが不思議だった」（『金子みすゞの童謡を読む』港の人、2020）といいます。金子みすゞの詩には花や虫や魚の名前がよく登場するが、日本人の友人に聞くと、花が咲く季節や魚の食べ方をすらすらと教えてくれたことが意外だったというのです。

この話を読んで、へえ、そういうものなのかと思いました。自分たちにとっては当たり前のことでも、国や地域が異なれば意外なことは多いものです。それにしても、シリアと日本の文化の違いに気づき、金子みすゞと北原白秋の比較研究をして、斬新な解釈を唱えたアルメリさんはたいしたものです。

何気なくふしぎだと思ったことが新しい発見につながるのは、文学でも科学でも同じなのですね。私たちの身の回りにも、そうした発見のきっかけはたくさんあります。世紀の大発見ではないにしても、個人的なうれしい発見のきっかけが。

本書は、2015年4月から2020年8月まで、毎日新聞日曜版にほぼ月に1回、「団栗（どんぐり）」というタイトルで連載した600字ほどのコラム63回分をまとめたものです。一冊にまとめるにあたり、個別のタイトルと本文、挿画の一部を変えているものもあります。

連載中は毎回、締め切りが近づくたびに、今度は何を書こうかと思案しました。たいていは、そのときどきの観察や、見知ったばかりの発見を取り上げてきました。なので、挿画を描いてくれた山本美希さんは、今度はどういう話だろうと、原稿が届くまで毎回ヤキモキしていたはずです。それでも常に、こちらの期待にみごとにこたえてくれました。

連載場所は日曜版の「日曜くらぶ」というコーナーでしたが、このコラムの編集は科学環境部の担当でした。5年間の連載で、田中泰義さん、西川拓さん、元村有希子さん、渡辺暖さんのお世話になりました。

新聞連載がちょうど終了するタイミングで、教育評論社の清水恵さんから、お声がけをいただきました。予想もしていなかったお声がけと、あまりのタイミングのよさに驚きました。おかげで、ぼくと山本美希さんとの共同作業を書籍として残せることになりました。心の底から感謝します。

本書は取り留めのないコラム集ですが、これが「科学」をより身近に感じていただけるきっかけになれば幸いです。

2020年師走
渡辺 政隆

渡辺政隆（わたなべ・まさたか）
サイエンスライター、日本サイエンスコミュニケーション協会会長、東北大学特任教授。専門は科学史、サイエンスコミュニケーション、進化生物学。著書に『一粒の柿の種：科学と文化を語る』（岩波現代文庫）、『ダーウィンの遺産：進化学者の系譜』（岩波現代全書）、『ダーウィンの夢』（光文社新書）など。訳書に『種の起源』〈上下〉巻（チャールズ・ダーウィン著、光文社古典新訳文庫）、『ワンダフル・ライフ：バージェス頁岩と生物進化の物語』（スティーヴン・ジェイ・グールド著、ハヤカワ文庫ＮＦ）など多数。

山本美希（やまもと・みき）
マンガ作家、筑波大学芸術系助教。2011年に文字なし絵本『爆弾にリボン』でデビュー。車上生活する女性を描いたマンガ作品『Sunny Sunny Ann!』（講談社）は、第17回手塚治虫文化賞新生賞を受賞した。最新作は『かしこくて勇気ある子ども』（リイド社）。物語と表現手法の関係を重視しており、作品ごとにイラストレーションのスタイルも異なる。大学では、作り手に役立つ研究・教育を目指して、絵本・マンガにおける物語表現の調査に取り組む。

科学の歳事記
どんぐりから宇宙へ

2021年3月12日　初版第1刷発行

文　渡辺政隆
絵　山本美希
発行者　阿部黄瀬
発行所　株式会社 教育評論社
〒103-0001
東京都中央区日本橋小伝馬町1-5 PMO日本橋江戸通
Tel. 03-3664-5851
Fax. 03-3664-5816
https://www.kyohyo.co.jp
印刷製本　萩原印刷株式会社

定価はカバーに表示してあります。
落丁本・乱丁本はお取り替え致します。

ISBN 978-4-86624-037-4